海外漢文古醫籍精選叢書・第三輯

2011—2020年國家古籍整理出版規劃項目
2018年度國家古籍整理出版專項經費資助項目
中國中醫科學院「十三五」第一批重點領域科研項目
——我國與「一帶一路」九國醫藥交流史研究（ZZ10-011-1）

蕭永芝◎主編

藥性討源

〔日〕曾槃　撰

本草古義

〔日〕岡村尚謙　撰

17

北京科学技术出版社

圖書在版編目（CIP）數據

藥性討源；本草古義/蕭永芝主編．—北京：北京科學技術出版社，2019.1
（海外漢文古醫籍精選叢書．第三輯）
ISBN 978－7－5714－0000－2

Ⅰ．①藥…　Ⅱ．①蕭…　Ⅲ．①本草—研究—日本—江户時代　Ⅳ．①R281.3

中國版本圖書館CIP數據核字（2018）第294696號

海外漢文古醫籍精選叢書·第三輯·藥性討源　本草古義

主　　編：蕭永芝
策劃編輯：李兆弟　侍　偉
責任編輯：吕　艷　周　珊
責任印製：李　茗
出 版 人：曾慶宇
出版發行：北京科學技術出版社
社　　址：北京西直門南大街16號
郵政編碼：100035
電話傳真：0086-10-66135495（總編室）
0086-10-66113227（發行部）　0086-10-66161952（發行部傳真）
電子信箱：bjkj@bjkjpress.com
網　　址：www.bkydw.cn
經　　銷：新華書店
印　　刷：北京虎彩文化傳播有限公司
開　　本：787mm × 1092mm　1/16
字　　數：345千字
印　　張：28.75
版　　次：2019年1月第1版
印　　次：2019年1月第1次印刷
ISBN 978－7－5714－0000－2/R·2557

定　　價：**800.00元**

海外漢文古醫籍精選叢書·第三輯

藥性討源

〔日〕曾槃　撰

内容提要

《藥性討源》爲日本江户本草學派代表人物曾槃編著，成書於文政三年（一八二〇）。本書所論「藥性」指藥物氣味，包括四氣、五味、間味、戾味等；「討」意爲研究、推求；「源」指事物的本源，引申爲根由、來歷，即言本書意在推求、研究藥物氣味的本源、根由。曾槃主張五味化生有序，重點探求藥物氣味之本性，并按照氣味歸屬分類記載藥物的主治功用。曾槃强調氣味爲藥物之根本，可以通過甄别氣味測知藥物功用，并構建了一套系統獨特的理論體系，可以有效地指導臨床用藥，具有一定參考、借鑒價值。

一　作者與成書

《藥性討源》上卷首葉題「藥性討源上卷／薩摩侍醫曾槃著」，下卷甘部類首葉署「藥性討源下卷　曾槃纂録」；書中作者記述自身經歷或個人觀點時，多以「槃」字自稱。可知，本書作者爲日本薩摩侍醫曾槃。

曾槃（一七五八—一八三四），字士考，幼名恒藏，後改爲松宇，槃爲其名，又名昌啓、象山、昌遒、永年，號占春，出生於江户（今屬日本東京），曾師從田村藍水修習本草，又從多紀藍溪研習醫學，其父周政以醫官之職仕於莊内藩（今屬日本山形縣）藩主。曾槃十七歲時繼承父業，亦爲莊内藩侍醫；二十七歲開始在躋壽館講授本草，名聲漸顯。其門人有阪本純庵、高木春山、井上良雄、河名文系等。三十五歲時，曾槃受聘於薩摩藩藩主島津重豪，奉命前往薩摩藩種植人參。薩摩藩，爲日本江户時代藩屬地，治所在今鹿兒島縣北半部，領地主要包括薩摩國、大隅國和部分日向國屬地。曾槃在本書上卷六陳篇枳實條中提到「吾藩薩摩國嘗培養枳樹」，此處的「吾藩」即指薩摩藩，故曾槃自稱爲「薩摩侍醫」。四十二歲時，曾槃奉瀏江長伯幕府之命前往蝦夷（今屬日本北海道），考證所采集的草木科植物臘葉。

日本享保年間（一七一六——一七三五），采藥士阿部將翁在江户一帶創立江户本草學派，曾槃亦爲該學派代表人物之一。江户本草學派在幕府「殖産興業」政策的感召下，以采藥、種藥爲主，强調親身實踐，注重實地調研，開展了一系列植根於親身觀察實踐的本草學研究。例如，本書上卷氣味序説篇載：「萬物之中，禀一行純粹之精味者，原自有之；又或有剛柔濃淡品味交錯者，至匡其纖微之間味、戾味，及粹鑑良惡，豈唯經傳師承而已哉？亦自嘗焉而知。」又如，日本著名醫家多紀元簡在爲曾槃《本草綱目纂疏》所作的序中言：「今士考……足迹半天下，親驗目睹所獲，參證互明。」❶

由於有了上述經歷，曾槃積纍了豐富的觀察、種植、辨識藥物的知識和經驗，爲其後編撰各類本

❶ 曾槃．本草綱目纂疏・序[M]．日本享和二年（一八〇二）刻本．

草著作奠定了良好的基礎。本書上卷藥物産地篇載：「槃昔年應太醫令丹波藍溪先生之需作《藥物出産志》，先生據余之《志》，效《延喜》之舊，奏以定貢藥焉。」日本天明八年（一七八八），中國蘇州藥商吕宏昭到達長崎，曾槃主要針對藥品産地向他提出了七十餘條疑問，後根據吕氏的回答編成《吕宏昭藥品答》一卷。除《吕宏昭藥品答》《藥性討源》之外，曾槃另著有《本草綱目纂疏》《本草彙考》《神農本經講義》《古本草集覽》《救荒本草和訓燈》《藥性識略》《成形圖説》《周定王救荒本草和名選》《人參識》《藥品和名集》《藥物俗名集》《藥品异名集》《辨本草之道》《救荒本草和名》《海内方物經略》《皇和藥品出産志》《國史外品動植考》《國史草木昆蟲考》《西洋草木韵箋》《蝦夷草木志科》《占春魚品》《水草識略》《禽識》《曾占春遺稿》《禽志》《金薯傳習録》《皇和蕈譜》《橘黄閑記》《無人島談話》《隨觀筆乘》《渚丹敷》等本草著作數十部，爲日本後學識藥辨藥、研究本草之學提供了豐富的資料。

總之，曾槃是日本著名本草學家、江户本草學派代表人物之一，主張對本草的考證研究應通過親試實驗加以驗證，實踐經驗豐富，本草著述宏豐。

本書首載曾槃自撰「藥性討源序」，此序由兩部分内容組成，其一爲「文化十四年歲在丁丑孟春月吉曾槃識」，其二系「庚辰秋九月既望曾槃又識」。可知序中内容先後撰成於文化十四年（一八一七）和文政三年（一八二〇）。由此推斷，《藥性討源》最終完成於日本文政三年（一八二〇）。此時曾槃已年逾花甲，學驗俱豐，本書可謂集其本草研究之大成。

一八一七年，曾槃在序中云：「苟司命之士，不可不知藥性。藥性，則氣味也……藥之宗，則氣味也。四氣剛柔，五味濃淡，及間味、戾味，各有等。奈本草註釋，或互有差謬於斯乎？近者汪訒庵《備要》、吴遵程《從新》、蔣儀用《藥鏡》等之書，參考之，芟蕃擅便，不亦切乎？余亦聊擬先哲之意，尋討品味，專旨正效，撮要弃否，排五味而分部，暫掃注釋。始起頭韵而列目，乃備便覽，以授吾門之初學焉。」一八二〇年，曾槃又識：「子每欲甄别藥物之氣味，以遍測知其效用者既久。若能至究盡其性之所之處，則自不可不通曉百藥之用。」上卷氣味序説篇載「是氣味之利用，則古先聖王之法一定不變……是皆人智之賢能味其味，窮盡物理，可謂贊天地之化毓矣」。上卷六陳篇吴茱萸條又言：「全禀之氣味，俱脱泄，竟爲渣脚。」

由上可知，本書所述藥性，是指藥物之氣味，主要包括四氣、五味、間味、戾味。曾槃認爲氣味是藥物之宗，醫者不可不知，强調氣味的重要性。可惜，歷代本草著作雖有所闡述，但存在部分差誤。於是，曾槃效仿中國明·蔣儀（字儀用）《藥鏡》、明末清初·汪昂（字訒庵）《本草備要》、清·吴儀洛（字遵程）《本草從新》等本草著作，於文政三年（一八二〇）編成《藥性討源》一書。書中重點論述藥物氣味，以氣味爲藥物之根本，强調通過甄别藥物性味測知藥物的功用。

二　主要内容

《藥性討源》分爲上、下二卷。上卷總論藥物氣味，下卷詳述五百七十四種藥物的功用主治。

上卷依次記述氣味序説、驗水、擇火、甘、鹹、酸、苦、辛、葷、蔹、麻、澀、淡、平、滑、香、臭、毒、泪、膠、油、脂、膏、藥物産地、藥物采取、君臣佐使、反畏制伏、六陳、煮散、金石火煉等三十篇内容。

首出氣味序説篇，旁徵博引，總論藥物氣味之化生，强調水、火二物的重要性；其後單列驗水、擇火二篇。氣味序説篇曰：「甘、鹹、酸、苦、辛五味者，五行之精也……五味之有間味、戾味。」其後，述甘、鹹、酸、苦、辛爲五行之本味，葷、麻、澀爲間味，蘞、毒爲戾味。此外，淡爲真味，平爲五氣之始，臭爲五氣之終，香爲氣之粹，滑爲藥物的性與質，泪、膠、油、脂、膏指藥物質地。再後，又列述曾槃本人對藥物産地、藥物采取等方面的獨到見解。

下卷包括藥名分韵總目、甘部、鹹部、酸部、苦部、辛部六篇内容。

首載藥名分韵總目，按照日文假名伊呂波（イロハ）順序，羅列各种藥名及其五味歸屬，相當於藥名索引表。例如，「安行：阿膠甘部，鴨甘，罌粟殻酸，鴉片酸，庵蔄子苦，阿魏辛」。正如本書序中所言，「始起頭韵而列目，乃備便覽」。在藥名分韵總目中，共計載録藥名六百零九種，依次包括安行六種、伊行十六種、宇行十種、江行十種、加行四十七種、幾行三十一種、久行三十種、計行十九種、古行二十八種、左行三十一種、之行六十四種、須行九種、世行三十五種、曾行十種、多行二十二種、知行十九種、天行十六種、登行十六種、仁行九種、乃行一種、波行五十五種、比行十一種、不行十三種、邊行四種、保行十三種、末行六種、美行三種、武行四種、女行二種、毛行十種、也行三種、由行二種、與行二種、良行十種、利行十三種、禮行十六種、吕行十種、和行一種、惠行一種、於行一種。

次述藥物功用主治，分爲甘、鹹、酸、苦、辛五部，部下又按四氣之寒、熱、温、凉、平分類記述，共計收藥五百七十四種。

甘部：甘寒類六十六種，甘熱類一種，甘温類七十種，甘凉類十種，甘平類六十二種，總計載藥二百零九種。

鹹部：鹹寒類二十四種，鹹熱類二種，鹹温類八種，鹹平類九種，共計載四十三種。

酸部：酸寒類十種，酸温類十二種，酸平類十種，共有三十二種。

苦部：苦寒類八十一種，苦温類四十種，苦涼類五種，計收藥一百二十六種。

辛部：辛寒類二十三種，辛熱類三十種，辛温類九十六種，辛涼類六種，辛平類九種，總計載藥一百六十四種。

每種藥物主要記載其主治功效，部分藥物附有氣味、使用方法、正誤、其他入藥部位功用等内容。以下卷甘部甘寒類所載部分藥物爲例，鉛丹條僅載其功效主治，「鉛丹：墜痰，解熱，消積，治吐逆反胃；入膏藥，生肌止痛」。佛甲草條另載其使用方法，「佛甲草：湯火灼瘡、眼目風赤、及焮腫赤斑，皆絞，頻貼之。大葉者更妙」。茅根條另載其功效正誤，「茅根：治諸般血證，止吃逆，極驗。非生汁無效」。赤小豆條另載其味酸及赤小豆花（腐婢）的功效，「赤小豆：酸。通小腸，利小便，行水散血。花名腐婢，解醒療酒頭痛，勝葛花」。

縱觀全書，上卷總論藥物氣味，首先列述氣味序説、驗水、擇火三篇，之後分別論述甘、鹹、酸、苦、辛五種本味，葷、麻、澀三種間味，蘞、毒二種戾味，淡、平、滑、香、臭等五種味感，泪、膠、油、脂、膏等五種特殊質地的藥物，以及曾槃個人對藥物産地、采收、君臣佐使、反畏制伏、六陳、煮散、金石火煉等七方面的獨特見解；下卷首置藥名分韵總目，其次按照藥物氣味歸屬分類列述五百七十四種藥物的功效主治等。

三 特色與價值

《藥性討源》一書重點闡述了曾槃獨具特色的藥物氣味理論。著名醫家丹波元胤在《柳沜文藁》的「與曾士考論《藥性討源》書」一文中評價此書道:「若其新立間味、戾味之目,及香臭油膩煮製之法,悉爲詳解。且排五味而立門,舉頭韵而列目,衆庶之品,可以供醫藥者,性味功用,逐件舉之,約而不繁,使人一披瞭然,若指諸掌,具識見精卓,多闡前人未發之義。」❶下文從氣味化生之源、五味化生有序、藥物氣味之本性、旁徵博引注明出處等四方面展開論述。

第一,高度概括總結了氣味化生之源。

本書所述藥性指藥物氣味,曾槃强調氣味爲藥物之宗。上卷氣味序説篇詳細闡述了寒熱温凉四氣化生與甘鹹酸苦辛五味化生根由。

四氣之化生,「天地之大紀,静極復動之謂息,息之謂氣……氣中有水火焉……而寒、熱、温、凉之氣交合盈虛更作矣……萬物變化水火者,則先乎太極生長玄右升降天地……乃寒、熱、温、凉之氣周流於太虛之中」。

五味之化生,「古聖王合水火與造化之選而立五行矣……甘、鹹、酸、苦、辛五味者,五行之精也……天之生物不離五行,先王以水火與金木土禨,孕毓百品,陶鑄萬物,五味乃成……則列之天官

❶ 丹波元胤:柳沜文藁[M]:日本國立國會圖書館所藏鈔本.

以表天地之德焉」。

由上可知，曾槃從天地萬物起源變化的角度來論述藥物氣味，高度凝練藥物四氣五味之化生，概括性强，并以此爲綱指導推演藥物的功用主治。

第二，提出了五味化生有序的觀點。

曾槃在本書開篇氣味序説中提出：「槃因意五味必有本末焉，乃原始要終。水性本甘，是其始也，而鹹，而酸，而苦，而辛，辛化而無所之，是其終也。」曾槃認爲，五味化生，以甘、鹹、酸、苦、辛爲序。上卷論述五味時，進一步闡釋了這一化生順序，云「甘者，五味之始，以爲正味也……甘味爲五味之主」「鹹者出於淡，淡即水味，甘與鹹，蓋一源味也」「酸者，鹹之化者或有之，其爲味與鹹親，酸即酢也」「苦者，酸之屬味也」「辛者，味之終也。有苦化而爲辛者。辛化而爲所之矣」。

五味化生順序貫穿本書始終。本書上卷論述五味，下卷按味分部記述藥物時均以此爲序，在下卷藥名分韵總目中，各行所列藥物也大致遵循此序（個别偶有例外）。例如，「武行：無花果甘、無名异鹹、蕪荑辛、無患苦」；又如，「登行：冬瓜甘、冬葵子甘、燈心草甘、刀豆甘、當歸甘、土茯苓甘、杜仲甘、銅緑酸、童便鹹、豆豉苦、茶苦、杜松苦、桐葉苦、橙皮苦、兔屎苦、獨活辛」。

第三，歸納了藥物氣味之本性，構建起從藥物氣味測知功用的理論體系。

本書上卷所述藥物之味，主要包括本味、間味、戾味三類，重點闡釋各種藥味之義，論述藥味的本性。

本味，包括甘、鹹、酸、苦、辛五種。甘爲土行之本味，爲五味之始，一名甜；鹹爲水行之本味；酸爲木行之本味；苦爲火行之本味；辛爲金行之本味，又作辣。文中主要闡述各種主味之本性、區别與兼味功用三方面的内容。

本味之本性：甘之本性平而爲陽，發散解毒，主緩。鹹之本性温而散，而爲陰，解毒導下，主軟。酸之本性寒凉而爲陰，涌泄，通骨，解毒，主收。苦之本性温而瀉利，而爲陰，去熱，主堅。辛之本性熱而爲陽，能通能升，開滯，主散。

本味之分别：甘味有水土之甘、人參之甘、芽茶之甘苦、百卉花液之甘香、蜂醴糖霜飴餳之甘、雀餳木醴之甘。鹹味有土石之鹹、毛群之鹹。酸味有木實石液之酸、釀生化成之酸。苦味有銜石之苦（如消石、朴硝之屬）、動物之苦（如膽汁）、化生之苦（如酸化爲苦）。辛味，有歸鼻者，有歸舌者。

本味兼味之功用：甘部，甘鹹，清血瀉火；甘酸，行水凉血；甘苦，制火理血潤燥；甘辛，理氣發滯；甘鹹辛，活血解毒；甘辛酸，爽血去瘀；甘澀，解毒固精。鹹部，「鹹而皆者」，瀉熱潤燥；鹹苦辛，軟堅破瘀；鹹澀，軟堅收脱。酸部，酸甘，利胸膈，通腸胃（甘酸與酸甘略同）；酸鹹，行氣血，通經脉；酸鹹澀，生津液，散凝血，清腸胃；酸辛澀，温中逐寒；酸澀，止瀉消脹。苦部，苦鹹，利氣散熱；苦酸，和血破堅，主緩（酸苦與苦酸略同）；苦辛，除滯和氣理水；苦甘辛，利水，除陳氣；苦酸鹹，解毒清氣；苦澀，除熱，理血或利水。辛部，辛甘，散滯和中；辛鹹，消堅，滌腸垢；辛苦，下氣利水，潤燥温中；辛酸澀，固精。

間味，包括葷味、麻味、澀味三種，主要闡釋各種間味之義，記述間味的本性。葷味，「葷，音熏，辛臭之間味也」「葷之本性熱，而能徵蟲，主緩主軟」。麻味，「麻者，苦辛之間味也」「麻之本性温熱而爲陽，主散」。澀味，「澀者，間味中之一聖味。酸苦之所化，似乎麻而較异也」「澀之本性寒凉而爲陰，斂結而主收」。

戾味，包括蘞味和毒味，主要闡釋兩種戾味之義，記述戾味的本性。蘞味，近毒，「蘞，音杴，苦辛之戾味，螫咽喉者也」「蘞之爲味，如芋卯、豨薟、芫花、大戟（戟）、半夏、南星、芭蕉等是也。蘞之本性温熱而爲陽，主散」。毒味，「毒者，辛熱之戾味也」。

此外，又有淡、平、香、臭四味。淡味，「淡者，五味之源，甘之薄味也……淡之本性平素而爲陰，主養性命」。平味，「平，原氣，五氣之始」「平者，均也，和也……及謂藥性，則寒、熱、温、凉不偏之義也」。香味，「香，氣之粹，或有謂回味者」「香者，炎德之粹氣也，陰臭而陽香也……又或謂餘芳之回味也……香之本性，浮而薄且升而爲陽，能走竄發滯主導」。臭味，「臭，五氣之終」「臭者，氣之統名也。香、朽、羶、腥、焦謂之五臭，又或曰五氣。臭與惡氣別……氣者臭之始，臭者氣之終」。又載滑，「滑之爲義，就性與質而言，非爲味之義矣」。

書中又另載洎、膠、油、脂、膏五種特殊材質的藥物。洎，本指眼洎，「草木之津液粘滑者，亦謂之洎……凡草木之洎，或煎煉或日乾，則凝結」。附構，「構者，蓋謂稀脂如洎者」。膠，「膠者，製造物之稱也……藥有阿井皮膠、驢馬皮膠、牛皮黄明膠、龜膠、鹿角膠等，是皆搗魚獸皮熬汁爲膠，粘物又爲藥。膠之本性甘而平，治跌撲損傷等之血虚，最主緩」。油，「油者，草樹子核及昆蟲之肥也……味温而爲陽，宣通導下，主緩」。脂，「脂者，禽獸之腴也……其味大抵苦甘而温，能掃腸垢，止痛，主軟」。附膩，「醫書或脂膩通用，又借爲細膩精蜜之義」。膏，「膏者，脂類鱗羽毛郡之腴也……膏之爲性，多温熱，可以瘳瘡痏，主軟。後世以膏爲脂油配合之藥名也，凝者則脂，以膏沃之」。

綜上，曾槃在書中闡釋各種藥物之味，詳論藥味之本性，構建起一套從藥物性味材質測知藥物功用的較爲系統的理論體系，值得後學借鑒參考。曾槃在書首撰於一八二〇年的序中提及：「子每欲甄別藥物之氣味，以遍測知其效用者既久。若能至究盡其性之所之處，則自不可不得通曉百藥之用。如此，《經》説與予之素意正相符焉。然吾未能及於斯，常憾之而已矣。」可見，儘管曾槃構建了自藥物氣味測知藥物功用的體系，但他本人也難以單憑藥物氣味推知全部藥物功效。因此，醫者在臨床雖可借鑒曾槃此套理論，但也要顧及藥物入藥部位、炮製方法等其他方面的内容。

第四，徵引文獻豐富，標注文獻出處。

據筆者粗略統計，本書引用文獻多達六十餘種，僅上卷氣味序説一篇，引用文獻就超過了二十種（篇）。今按書中引用的先後順序羅列如下，主要有：《易・繫辭》《左傳》《漢書・律曆志》《素問・至真要大論》《老子》《春秋元命苞》《淮南子》《白虎通德論》《尚書・禹貢》《尚書・洪範》《吕覽・本味》《毛詩正義》《黄庭内景經》《周禮・瘍醫》《素問・宣明五氣》《素問・藏氣法時論》《褚澄遺書》《養生略要》《月湖全九集》《大涅槃經・聖行品》《水經注》《續日本記》《元亨釋書》《法華經・注（法）師功德品》《帝京景物略》《禮記》《文子》《茶經》《金匱要略》《周官》《隋唐嘉話》《孔安國傳》《禮記・月令》《説文》《廣韻》《本草經集注》《春菜詩》《前漢書・霍去病傳》《史記・周本紀》《正字通》《荀子》《風土記》《楞嚴經》《本草綱目》《食經》《省文》《國語・周語》《周禮注疏》《禮内則》《補注黄帝内經素問》《周禮・天官》《周禮全經釋原》《莊子・人間世》《考工記》《六書故》《詩經・小雅》《素問・异法方宜論》《博物志》《文選》《證類本草》《朗咏集》《傷寒類方》《備急千金要方》《外臺秘要》。此外，曾槃還引用田藝衡、司馬彪、徐之才、香川太沖（修庵）、寇宗奭、張仲景、徐靈胎等多位名家言論，徵引文獻如此豐富，且詳細注明了文獻出處。

曾槃在引用文獻時注意區分直接引用和間接引用。以上卷君臣佐使篇爲例，「《素問・至真要大論》曰：帝云方制群臣何謂也……王冰注：上藥爲君，中藥爲臣，下藥爲佐使……又陶弘景引《本草經》曰：藥有君臣佐使……又張華《博物志》引《神農經》曰：上藥養命……又《文選》引《嵇康養生論》曰：上藥養命，中藥養性……又唐慎微引李當之《藥録》曰：上藥爲君，主養命……又《朗咏集》載紀納言《仙家春詩》曰：養得自爲花父母，洗來寧辨藥君臣……諸説如斯，余捨《素問》何取？《褚氏遺書》曰：製藥獨味爲上，二味次之，多味爲下。此語亦可察諸。」

部分引用文獻甚至注明篇章等具體出處。例如，上卷煮散篇中載：「又《證類本草》引《經驗後方》云：嬰童疹痘三四日，隱隱將出，未色赤、便閉者，紫草一兩，剉，以百沸湯一盞泡，封勿泄氣，待温時服半合。紫草條。」清楚標明此處引文出自《證類本草》的紫蘇條。

總之，《藥性討源》首先高度概括了氣味化生之源，提出五味化生有序，指出五種正味之外尚有間味、戾味等，然後闡釋各種藥味之義，論説其本性，最終由氣味測知藥物功用，回歸臨床實用，重點記述五百七十四種藥物的功效主治。在闡論過程中，或旁徵博引以説明事理，或結合親身實踐提出觀點以糾正謬誤。全書編排巧妙，内容豐富實用，值得現今本草研究者深入探討。

四 版本情况

《藥性討源》成書於文政三年（一八二〇），日本《國書總目録》著録現存本書鈔本三種，分别藏於日本國立國會圖書館白井文庫、國立國會圖書館支部東洋文庫岩崎文庫（自筆）和杏雨書屋（文政八年寫本）。❶ 據《中國館藏日人漢文書目》記載，中國白求恩醫科大學圖書館藏有本書日本文政八年（一八二五）錢知彰精鈔本。❷

本次影印采用的底本，爲日本國立國會圖書館所藏《藥性討源》鈔本。此本藏書號「特1—228」。二卷一册。封皮題「藥性討源」，内封書「藥性討源　完」，且均貼有藏書號標簽。書首有曾槃「藥性討源序」，此序由兩部分組成，依次爲「文化十四年歲在丁丑孟春月吉　曾槃識」與「庚辰秋九月既望曾槃又識」。正文之前分「上卷總目」「下卷總目」兩部分羅列本書目録。上卷首葉署「藥性討源上卷／薩摩侍醫曾槃著」；下卷之首載「藥性討源分韵總目」，繼之在「甘部」首葉題「藥性討源下卷　曾槃纂録」。全書抄寫在事先印製好的紙張上：四周單邊，烏絲欄，每半葉横十格、縱二十格，正文每格一字，注文每格雙行，書兩字。版心上下雙黑魚尾，前十葉書口下方記有葉碼。文中有墨筆句讀，個别地方用朱筆加點。

總之，《藥性討源》主要探求藥物氣味之本性，作者曾槃構建起一套系統的從藥物氣味歸屬測知

❶ 〔日〕國書研究室.國書總目録：第七卷[M].東京：岩波書店，一九七八：七六〇.

❷ 王寶平.中國館藏日人漢文書目[M].杭州：杭州大學出版社，一九九七：三四四.

藥物功用的理論體系，獨具特色，對後學辨識藥物主治功用有較高的指導意義。讀者可通過研究本書中記載的氣味化生理論，提高臨床用藥水平；或可參考閲讀曾槃其他本草著述，旁及日本江户本草學派田村藍水、平賀源内等其他代表人物的著作，從中獲得有益的啓發，提升對本草氣味理論的認識，爲現代本草研究拓展新的思路。

韓素杰　蕭永芝

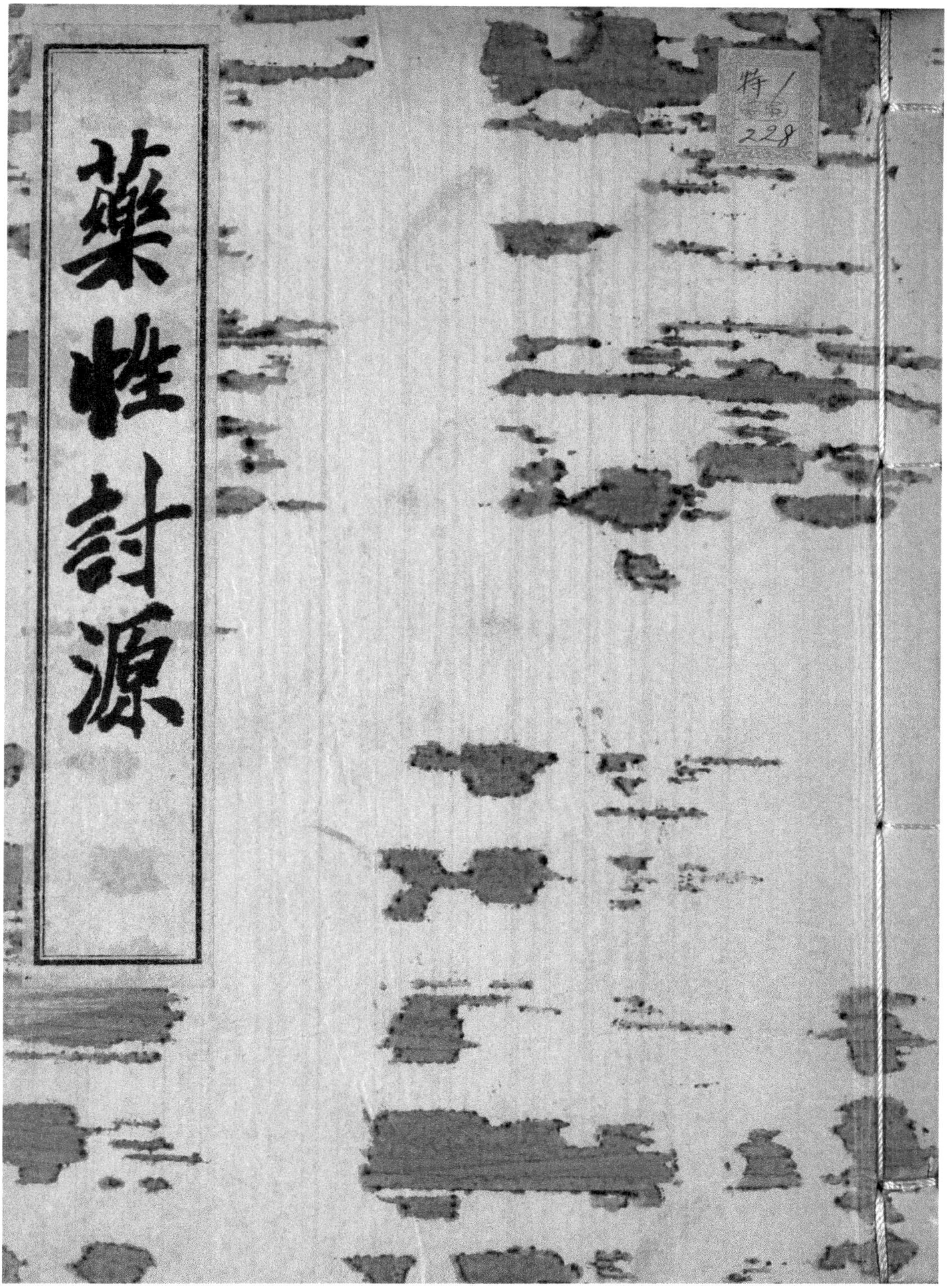
藥性討源

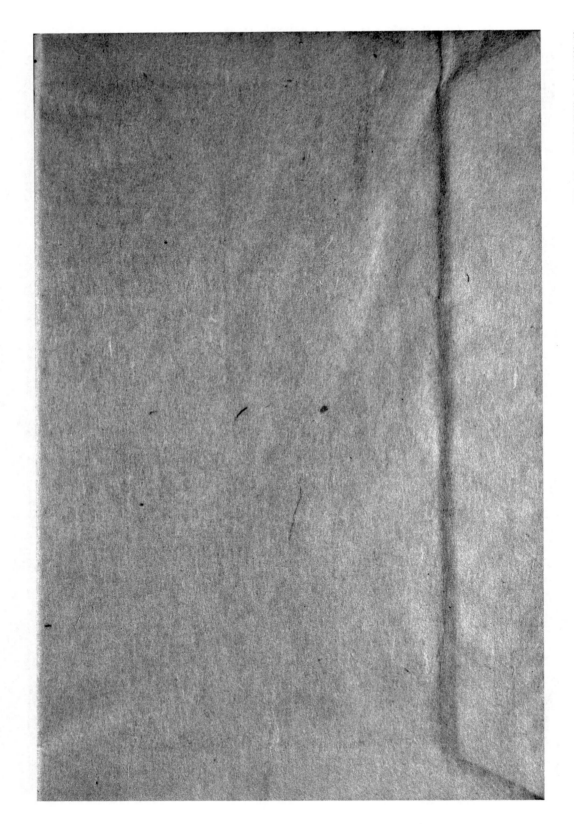

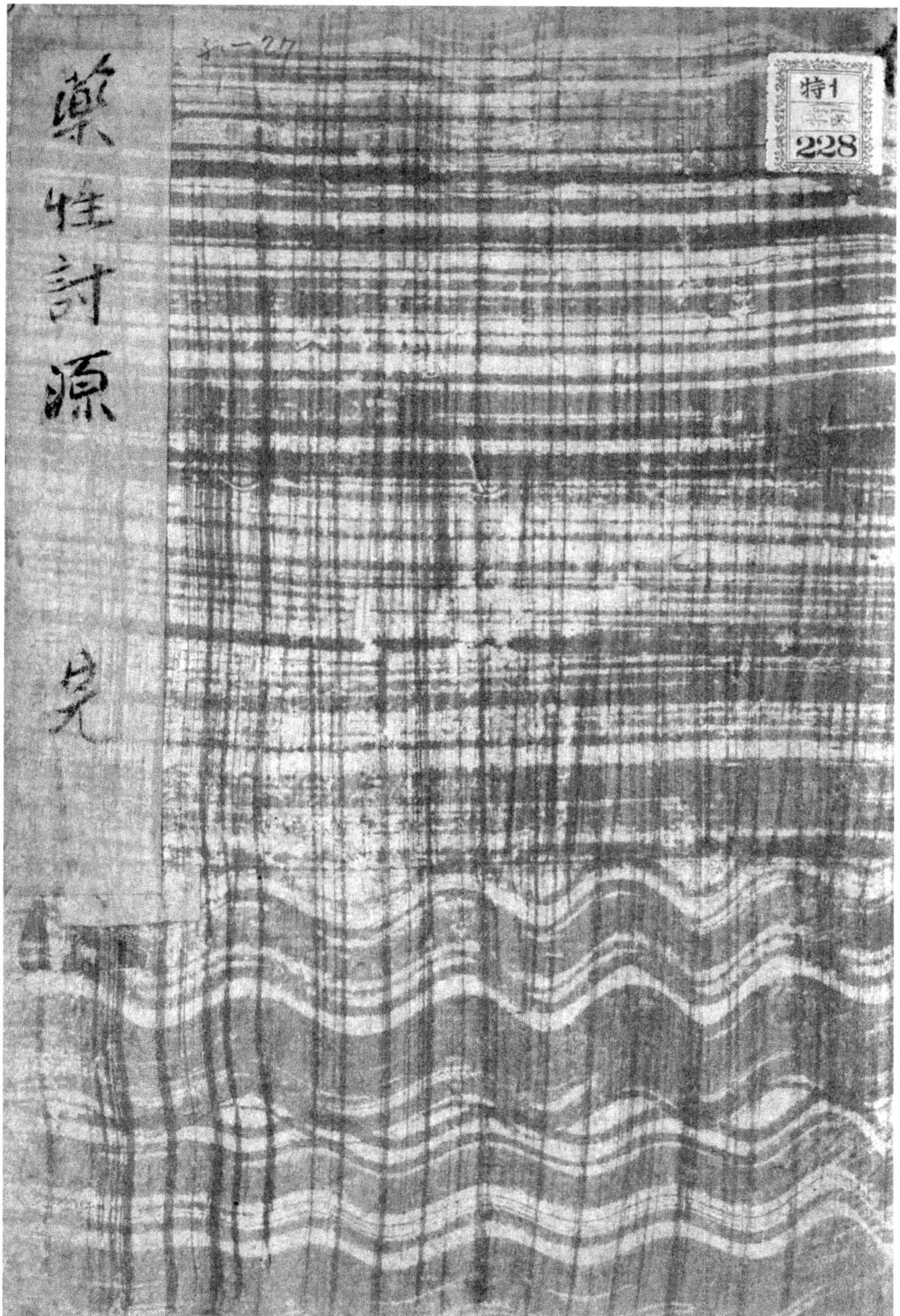
藥性討源
完
特1
228

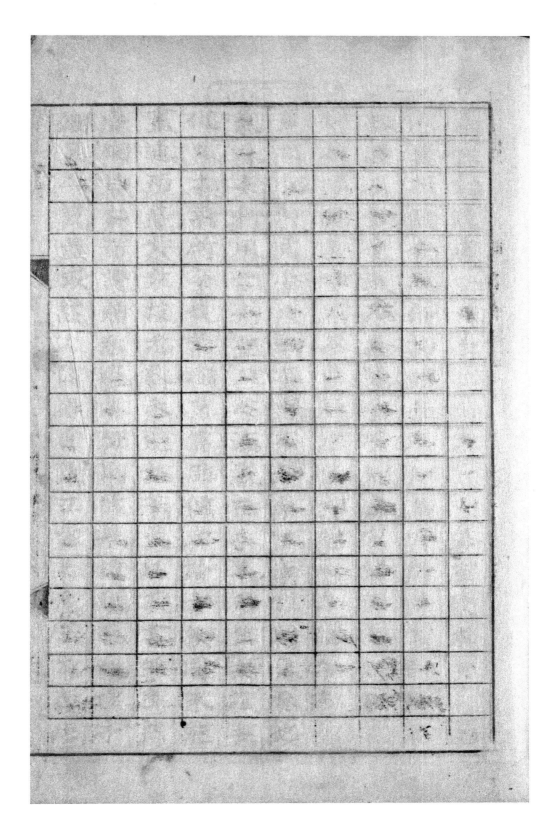

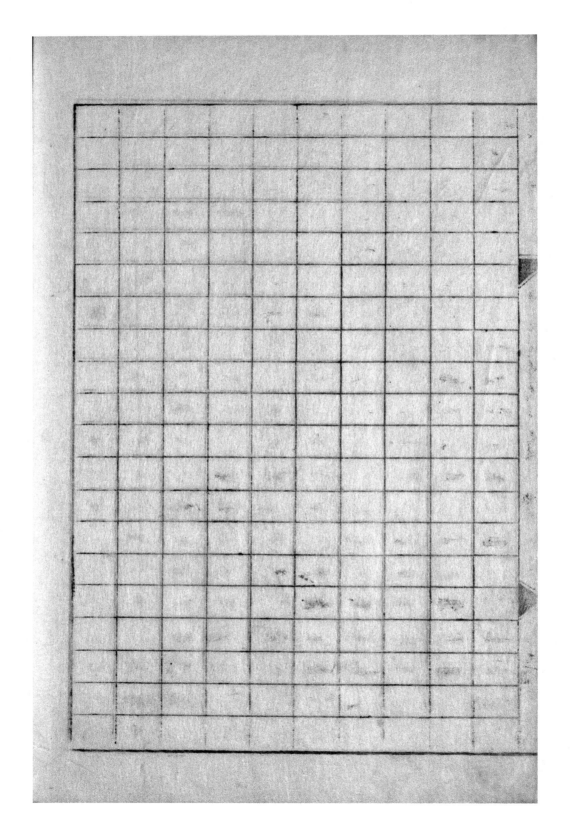

藥性討源序　巽斎琹本

人莫不飲食。咸知其味乎。不知其所歸所主。則鮮能知其不飲食。咸知其味乎。不知其所歸所主。則鮮能知其味矣。夫嗜烹茶者。知水性。業庖饔亨割者。知勺藥之知。苟司命之士。不可不知藥性。藥性則氣味也。氣味之利用。古先聖王之法。載在本草。元丘文莊云代代本草。所命執筆者。多儒臣。儒者於方技。固未能盡通。而專業方技者。又未能執筆。是以其書雖多。然廢綱目出而證類亦廢。本經則壞乎證類。而大壞乎綱目。二說蓋或然。然隋唐自降。百方之產。畢出。而唐注宋釈。更加增益。其書舶傳不乏於我者。正賴蘇韓唐李有編纂焉耳。則至李瀕湖其種殆庶乎二千。皆著其氣味。世以稱大備。初學或有惑其蕃富者也。然知藥性。非本草而何乎。藥之宗。則氣味也。四氣剛柔五味濃淡。及間味戾味各有等。奈本草注釈。或互有差謬。於斯乎。近者汪訒菴備要。吳遵程從新。蔣儀用藥鏡等之書。參攷之。芟蕃擅便。不亦切乎。余亦聊擬先哲之意。尋討品味。專旨正効。摭要棄否。排五味而分部。暫掃注釈。始起頭韻而列目。乃備便覽。以授吾門之初學焉。固靳播之於大方乎哉。設有偶見者。冀添要刪否矣。

文化十四年歲在丁丑孟春月吉　曾槃識

項讀佛典耆域經。耆域童子於德叉尸羅國。求非藥草者。所見草木。盡能分別。所入用處。（全文記留蠹遺稿卷弟十八）子每欲甄別藥物之氣味。以遍測知其効用不者。既久。若能至究盡其性之所之處。則自不可不得通曉百菜之用。如此經說。與予之素意。正相符焉。然吾未能及乎斯常憾之而已矣

庚辰秋九月既望曾槃又識

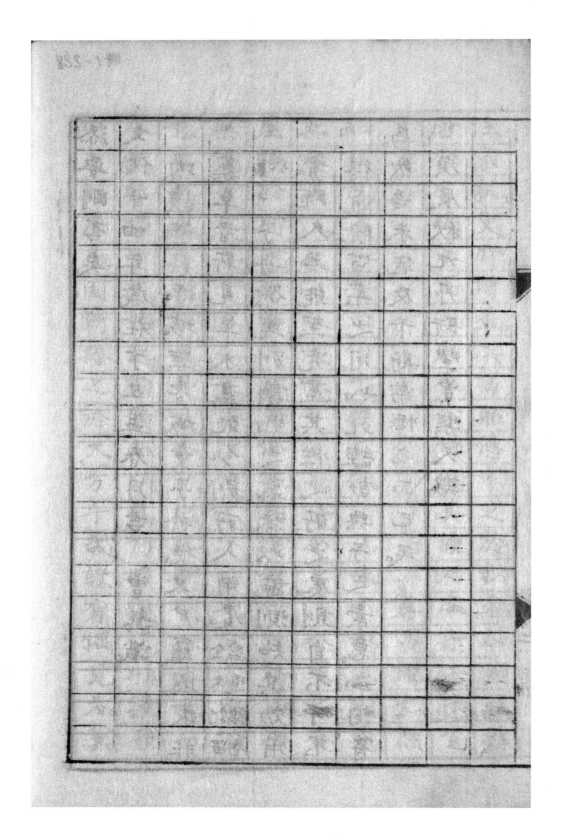

藥性討源

上卷總目

下卷總目

藥性討源上卷

薩摩侍醫曽槃著

氣味序說

天地之大紀静極復動之謂息々之謂氣以息相吹曰氣易繫辯。精氣為物左傳天有六氣陰陽風雨晦明氣中有水火焉水火者天地之大用蓋陰陽之精氣也漢書律曆志云天一生水地二生火而寒熱温涼之氣交合盈虚更作矣素問至真要大論詳説司天在泉司氣間氣老子曰天得一以清々即水也春秋元命苞曰水者五行始焉元氣之津液也淮南子曰夫水所以能成其至德於天下者以淳溺潤清也火之為言化也万物変化水火者則先乎太極生長左右升降天地（水雖親降由火則升火雖親升由水）則降乃寒熱溫涼之氣周流於太虛之中（白虎通德論曰水火獨一種金木多品何以為南北陰陽之極也得其極故一也云ゝ）變古聖王合水火與造化之選而立五行矣（左傳襄二十七年天生五材民並用之五材即五行也易雖無五行之說繫辭序列天地五ゝ之數禹貢則以金木水火土穀為六府邵康節則又以水火土石為地之四體釋氏則又以地水火風為四大西域則又以水火氣土為四元皆以利用厚生其理蓋一也）甘鹹酸苦辛五味者五行之精也（五味者隨五行之性其精液所成也）天之生物不離五行先王以水火與金木土穀孕毓百品陶鑄万物五味乃成（素問陰陽應象大論曰味歸形ゝ歸氣ゝ歸精ゝ歸化）則列之天官以表天地之德焉書洪範言天乃

錫禹九疇初一曰五行而繫之以五味也呂覽本味曰凡味之本水最為始（詩正義水性本甘春秌元命苞曰甘為五味之主是則所以水為味之本也）五味三才九沸九变為之紀（高誘注三才水木土紀猶節也呂味持火然後成故曰火為之節）五味入於人之胃中各有所歸蓋賴神氣之官能而或為氣或為血其純粹之英華歸乎腦而為元神（黄庭内景言腦為泥丸九宫元神居焉）以養命養性五味則繇水火之麗澤為人命之至寶矣乃以草木虫石治疾者昔在朱襄氏（神農号）始察品味別名稱効用良毒傳之於万世其數三百六十載在本草此書蓋遺秦燬自漢以降陶蘇李韓繼增宋唐審言補一千五

百明李東壁益三百七千皆無不著其氣味古人皆氣味併言是氣味之利用則古先聖王之法一定不変周礼瘍醫凡藥以酸養骨以辛養筋以鹹養脉以苦養氣以甘養肉素問宣明五氣篇曰五味所入酸入肝辛入肺苦入心鹹入腎甘入脾又曰辛走氣鹹走血苦走骨甘走肉酸走筋素問藏氣法時論曰辛散酸收甘緩苦堅鹹耎褚澄遺書曰酸通骨甘解毒苦去熱鹹導下辛發滯養生略要載神農經曰酸者補肝養心除腎病苦者補心養脾除肝病甘者補脾養肺除心病辛者補肺養腎除脾病鹹者補腎養肺除肝病

此一篇淵鑑類函藥部引月湖全九集云氣厚陽中之陽氣厚則發熱辛甘溫熱氣薄陽中之陰氣薄則發泄甘淡平冷寒辛味厚陰中之陰味厚則泄酸苦鹹寒味薄陰中之陽味薄則通酸苦鹹平輕清成象味薄茶之類本于天者親上重濁成形味厚大黃之類本于地者親下大凡五味所主如之古人多依于斯以湊合氣味而主方矣人莫不飲食即知其味然不知其所歸所之所謂鮮能知味也內典聖行品曰五味者如牛出乳從乳出酪從酪出生酥從生酥出熟酥從熟酥出醍醐釋道世法苑珠林引槃固意五味必有本末焉乃原始要終水性本甘是其始也而鹹而酸而苦而辛々化而無所之是其終也余所撿查如之

乃與生剋較異（生剋則木火土金水配之於味酸苦甘辛鹹吳晴嵐五行間嘗論生剋氣）
（運之說始於漢時）万物之中稟一行純粹之精味者原自有
之又或有剄柔濃淡品味交錯者至匡其纖徵之間
味戾味及粹鑑良惡豈唯經傳師承而已矣哉宜自
嘗焉而知（五味之有間味戾味也猶五色之有間色戾色）如狼狽之民冥夜
為帝以鼻嗅金即知其美惡（鄭道元水經注）釈鑒真能以鼻
辨藥（菅野道真續日本記云鑒真唐僧投化我邦能以鼻辨藥釈師鍊元亨釈書云釈鑒真世姓淳
于氏唐國揚剡江陽縣人齊辨士之髭之後諸藥物此方不知真偽取真辨之以鼻別之一無錯語藥按鑒
真則天平時人元揚剡龍興寺僧開基南都唐招提寺○法華經注師功德品云是人鼻聞清淨於此世界
中若香若臭物種ヽ悉聞知（中略）若有懷妊者未辨其男女無根及非人聞香悉能知以聞香力故知其初）

懷姙成就不成就安樂産福子意以梟知金知藥之法術蓋出干斯西醫鄧玉函嘗草根測知草形花色劉侗帝京景物畧載萬曆辛巳歐羅巴國鄧玉函入中國函善其國醫每嘗中國草根測知葉花莖實香味將遍嘗而露取之以驗成書未成也卒干崇禎三年四月二日是皆人智之賢能味其味窮盡物理可謂贊天地之化毓矣

驗水

禮記水曰清滌文子曰水之性清沙石濊之陸羽茶經曰山水上江水次井水下又云山水乳泉石池漫漫流者上其瀑湧湍漱者勿食ゝ之有頸疾劉源長茶史引州土遠乎山水漫流處則汲池塘或引漕河以助晨

七

覺晩炊、其水常受垢濁、故其氣必有朽臭焉、或若有若無、其微不可辨矣、惟芽茶能知水性非真清不顯香韻故云茶者水之神水者茶之體井水亦然、按井水有三病、一鹵氣、一鏽氣、一土氣土氣是朽腐之臭也水之壞所為雨水河水時亦或有之者、土氣之皆由于地之脉絡而然矣、其微不可嘗焉而知、余有驗之法、將淨明白礬碗三口、盛同水、一投璧鐵、鐵線片子之屬過夕発暈者、鹵氣也、一投五倍子末、見皂者、鏽氣也、一投明礬魁生暗者、土氣也、其三口水、清冽全然如故、而品処亦如故、則真清無病可知矣、山水乳泉真清者、蓄之日久不壞、大凡山水漫流者、無病耳、供藥用者、亦如

烹茶宜擇取焉、

擇火

火者神物也、由于柴薪、或微有变其性者、金匱要畧論中既謂揩桑之火、灸食牛羊肉、腹内生蟲、桑又按樟火煮湯、其味微臭、石炭火煮湯、忽歸于冷、黄艸火煮蕎麥麵線々断爛、烏樟火炊飯、其氣微臭、竹火升米酒、其性極烈、煮散之火、亦宜擇柴薪取新火、爲故周官、載司爟氏四時变國火、以救時疫、而又劉餗隋唐嘉話曰、江寧縣寺、有晉長明燈、歳久火色变青、而不熱、亦不可謂無也、按斯方出雲國、大社之長明燈、子熠自地神氏時山城國叡山之長明燈乃傳教大師所鑽云是蓋亦然又按檉木為薪煙淺無臭櫟木為炭氣清炎烈鎔金鍊鍾力斂必用剛炭山陽之木為炭能烘耐久山陰之木為炭極熚且熠

甘 聕

甘者五味之始以為正味也詩正義水性本甘味之本水最為始水之為味子交品味故謂之甘與土味之甘異濃淡清濁矣凡物之發徵其味味甘者其性所以將歸土也又凡黑霜有鹵味者所以黑霜歸土丶中有鹵味也故主血證土者水之香滓故其味亦甘洪範曰稼穡作甘是土爰稼穡以保惟余孔安國傳甘生於百穀禮月令曰季夏之

日其味甘、其臭香、土味所以甘者也、中央中和也、甘美也、春秋元命苞曰、甘者、食常言安其味也、甘味為五味之主、味之本水最為始則謂此也、猶土之和成於四行也、臭香者、土之鄉氣為主也、説文曰、土得其中和之氣、故香、正義又言長物則為甘害物則為苦、甘之為味、濃淡最不等、水土之甘、皆延乎淡也、人參之甘、香、微苦、獨異於凡味、咀之滓渣更既而腑味、芬苦尚存焉、故能生津液、芽茶甘苦之韻味亦無比類、陸羽詩甘液習々生清風、又袁中郎記云、曽而為金石之氣、是皆能述得其味、真百卉花液之甘香、亦異、艸木之精液多從花蕊泄於外、蜂蝱能知之、蜂醴糖霜飴餳之甘、最濃厚、雀餳木醴之甘、亦略相似、[雀錫、艸木將枯、精華頭發於外、木醴老樹節痕陥中、或結甘漿、]按濇化而為甘者、亦有、[榠棗、紅柹、葡萄、蘡薁、紫葛、若榴、帝春藤子之属、未熟者、其始味皆濇、]甘之本性、平而為陽、発散解毒、主緩、按甘而鹹者、清血、瀉火、甘而酸者、行水、涼血、甘而苦者、制火、理血、潤燥、甘而辛者、理気、発滞、甘而鹹辛、者活血解表、甘而辛酸者、爽血、去痰、甘而濇者、最能解毒、固精、[方齊配合、多依此例、錯他味者、係間味、]枯音田、說文美也、廣韻甘也、俗作甜、按甘瓜、一名甜瓜、甘藤、一名甜藤、甘櫧、一名甜櫧、由是則甘甜、更無異義矣、

鹹

鹹者、出於淡、〻即水味、甘、與鹹、蓋一源味也、說文作醎洪範曰、潤下作鹹、傳、水鹵所生、正義所云、水性本甘、久浸其地、変而為鹵、地中原自有鹵味、鹵味乃鹹潮水之鹹為大陽所煎熬而成月令曰、冬之日、其味鹹、其臭朽〻者、水之氣也、若有若無、言氣微也、又曰、水者受垢濁、故其臭腐也、元命苞曰、醎者鎌〻清也、至寒之氣、故使其清而醎、夫万物成于土、乃五味自生、按凡地之生物、咸莫不稟鹵鹹之気乃如艸木、其枝葉根茎煆之為灰、淋過煎煉則結而成塩也、按、土石之鹹、與消石朴硝等雑生、與毛群之鹹、鹿角馬尿等之精塩、其性更烈也、敷異則柔、鹹之本性、温而散、而為瘍、解毒、導下、主要說文鹹者北方物醎所以堅之、此說与経

十

又鹹而苦者瀉熱潤燥鹹而苦辛者軟堅破痰鹹而
濇者亦能軟堅收脫

酸

酸者鹹之化者或有之其為味與鹹親酸即酢也方
言闗東謂酢曰酸酢又作醋洪範曰曲直作酸傳木
實之性月令曰春之日其味酸其臭羶木之臭味也
隋蕭吉五行大義曰説文羶者羊臭春物氣與羊相
類木所以酸者象東方万物之生酸者鑽也言万物
鑽地而出生五味得酸乃達也元命曰酸之言端也
気始生專心自端也有木實石液之酸烈皆有釀生化

成之酸米酢及果實敗壞而成者酸之本性寒涼而為陰涌泄通骨解毒主收酸而甘者利胞腸通腸胃酸而鹹者行氣血通經脉酸而鹹澀者生津液散凝血清腸胃酸而辛澀者溫中逐寒酸而澀者止瀉消脹酸甘與甘酸ゝ苦与苦酸畧同

苦

苦者酸之屬味也魏名臣傳醋名苦酒又陶弘景注本艸云酢以有苦味名苦酒酢則酸也洪範曰炎上作苦傳焦氣之味月令曰夏之日其味苦其臭焦火所以苦者南方主長養也苦者所以長養之五味須苦乃以養之元命苞又曰苦者勤苦

乃能養也、按凡卉之花心以其苦化青衆蕣長養果枝皮甄花心之味多苦而莢珠赤多然而果既熱苦味尚有在其帶者、說文曰、焦者、火燒物、焦燃之氣、夏氣同、有衡石之苦、消石朴硝之屬有動物之苦、膽汁有化生之苦、酸化為苦苦之本性、溫而瀉利、而為陰去熱、主堅、苦而鹹者、利氣散熱、苦而酸者、和血破堅、主緩、苦而辛者、除滯、和氣、理水、苦而甘辛者、利水、除陳氣、苦而酸鹹者、解毒、清氣、苦而澀者、除熱、理血、或利水、

辛辨

辛者、味之終也、有苦化而為辛者辛化而無所之矣、辛作辛辛音愆非、洪範曰、從草作辛、傳金之氣味、月令曰、秋之

日、其味辛、其臭腥、西方殺氣腥也、說文曰、未熟氣腥也、西方金之氣象此味辛者物得辛乃萎殺元命苞曰、陰害故辛殺義故辛剌陰氣使其然也月令文曰其日庚辛注辛之言新也故物皆盡新物已成故云新、辛之為味有歸臯者、良薑華茇皂莢蕁菜茨子菜菔之屬有歸古者、蜀椒番椒細辛之屬辛之本性熱而為陽能通能升、発滯主散、辛而甘者散滯和中辛而鹹者消堅滌腸垢辛而苦者下氣利水潤燥溫中辛而酸濇者固精、辢音剌亦作辣蘇軾春菜詩韭芽戴土蕨如拳細履幽畦掇芳辢意是與辛相同必無深義矣、

葷

葷音熏辛臭之間味也前漢霍去病傳師古注葷與薰同史記周本記獯鬻作葷鬻正字通載古音餘省韻葷引王柏正始之音曰葷臭同一音禮記葷注薑及辛菜荀子葷注葱韭也周處風土記曰元旦造五辛盤五薰練形五薰即五葷謂蒜韭薤葱蓼蒿薑芥等田藝衡云莊子正月茹葱以通五臓按今傳本莊子無此文内典楞嚴經曰五葷生啖增恚熟食發淫釈氏所禁本于此葷之本性熱而能征臭主緩主乘蒼應移毒之前

薟音杴、苦辛之戾味、螫咽喉者也、陶弘景注茡、生則有毒、味薟李時珍注豨薟韻書楚人呼豬為豨、呼艸之氣味辛毒為薟、此艸氣臭如豬而味薟螫、源順和名抄、引崔禹錫食經、雀氏魏人余引有孜茄子甘醶、注俗語惠久之按菜名有稱惠久者、出万葉集中其味蓋薟、又樹名有稱惠久乃支者、其子味甚薟、廣韻醶音驗、意薟蓋假借音通也、而薟之為味、如芋卵豨薟芫花大戟半夏南星芭蕉等是也、薟之本性、温熱而為陽、主散、

麻

麻者、苦辛之間味也、閔粹習ゝ乎口而麻ゝ、猶麻痺

麻本之麻、〻之爲味、如蜀椒巴豆蟾酥等是也、時珍注麻黄、或云其味麻〻之本性、温熱而爲陽主散、

濇

濇、省文作澁、又同澀、俗作渋、又作澁、濇者間味中之一聖味、酸苦之所化、似乎麻而軟、異也、凝滞于口、而不閃粋、如摧實蓮蓬秦皮柏葉五倍子瞿粟殻等是也、其始、自苦成者、比〻有之、凡艸果菜蔬木實孕毓於花心之苦、而漸成其形、未熟、其味保苦濇、則與帶固着莫自落者、是所以濇之主斂收也、濇化爲甘則乱潰而自落矣、甘主緩濇化爲甘者其性正盡也甘濇之本性、寒凉而

為陰斂結而主收。按檳榔氣味溫而苦濇且辛，能祛瘴癘之氣。嶺南交廣之地，瘴氣常行，故其人好噉此果以避瘴氣，是則所以其味濇而主斂收也。又凡枯魚氣味溫而甘濇且辛，北際之國不耐凝澌，其人常噉之以耐寒，是亦所以主斂收也。濇之有利於人身則然也。又石灰氣味溫而辛濇（諸本艸但云辛溫，是失於不驗也），其止血蝕惡肉者，即濇之所主。唯辛何之為辛源順和名抜引。玉篇柃似荊，可作染灰，今則用海石榴灰同効。（石灰出丹波國）如紫色則衝其灰汁以発濃豔，是亦濇之所主也。（凡灰水前熬則其性猛烈，可以蝕贅瘤息肉。）

淡

淡或通作澹然相如賦隨風澹淡是自有同異焉淡者五味之源甘之薄味也則天下之真味從淡生而乃云水性本甘淡之本性平素而為陰主養性命

平

平者均也和也周語曰樂從和和從平聲應相保曰和細大不踰曰平素問至真要大論曰小大齊等命曰平按及謂藥性則寒熱溫涼不偏之義也又按四气之原气也

滑

周礼瘍醫以滑養竅鄭玄注凡諸滑物通利往來似
竅賈公彦疏食醫云調以滑甘平調食五味之外有
滑礼内則所謂堇荁枌榆之滑是也滑之為義就性
与質而言非為味之義矣（字書滑与汩同紛乱之義）如水仙苦微
辛滑寒葵甘寒滑菰筍甘冷滑蘋甘寒滑水藻甘大
寒滑昆布鹹寒滑葱汁辛温滑薤白辛苦温滑甜瓜
甘寒滑烏芋甘微寒滑是其證也

香

香者冬德之粹氣也陰臭而陽香也（凡物聲色亦謂之香馨能意千）
（神明宋沈作喆寓簡云火盛於南方實能生土〻性味甘而臭香其在南方乘火之主得其所養萃英發）

外、是以草木皆香、貫理、性之自然者、此又或謂餘芳之回味也、説文曰、

土得中和之氣、故香、臭香土之郷氣、香為主也、按凡艸木之香韻、頼於辛甘之質而生焉、花蘤之芳香、其精采之氣、発于外也、猷之稱香者、則腥臭非真香矣、香鼠靈猫、麝臍之類、香之本性、浮而薄且升而為陽、能達竅、発滯、主導、黄帝書曰、五氣香気湊脾、古人固知之、沈作詰寓簡引

臭

臭者、氣之統名也、香朽羶腥焦、謂之五臭、又或曰五氣、臭与悪氣別、易繫辭、其臭如　内則、纓衿佩容臭、

鄭玄註臭香物也僖四年左傳卜繇曰一薰一蕕十年尚有臭廖文英云總要曰臭嗅氣也正字通説文嗅攝持也王莽自攬與事是謂有質引氣即腐敗之氣也按氣者臭之始臭者氣之終故腥臊膻多鍾乎羽毛矣

毒

毒者辛熱之戾味也素門藏氣法時論曰毒藥攻邪王冰注辟邪安正惟毒乃能槃意應是謂可攻病之毒一味至周礼天宮以五毒攻之以五菜療之合而言之毒乎藥正是二物按柯尚遷周礼全經曰毒謂

五毒攻之，毒藥謂五藥療之之藥，二物也。聚之所以共衆醫之用也。至毒之猛烈，有不可共藥焉者，則晋語驪姬寘肉於堇，寘酒於鴆，唐武后毒賀蘭氏之堇（以上二堇，非芨草之堇，蓋黃堇也，別有攷證。）及日南蠱毒之屬是也。

淚 揣

淚者，本目液。李時珍曰：淚者，肝之液，五藏六府津液皆上滲于目（本艸綱目人部）。艸木之津液粘滑者，亦謂之淚。葱汁曰葱淚，外國出稀脂，白胡桐淚，凡艸木之淚或煎煉，或日乾則凝結，盧會、乾漆、阿芙蓉之屬是也。各隨其性異用矣。

樠者蓋謂樠脂如淚者乎莊四年左傳楚武王遂行卒于樠木之下所云樠木蓋臃惡不材之木也余意王者不死於可死之國而死於不可死之地故傳假此不材之樹名以表其不德耳杜注以為大木名者不知何據按莊子人間世匠石所云散木液樠邪象注不在可用之数故曰散木司馬彪云樠謂脂出樠樠然余以此為證然藥性品味中余未見用樠字但李氏綱目有烏樠木烏木一名烏文木一名烏樠木李時珍云南人呼文如樠又本艸和名引無名苑松脂一名樠音門斯云樠亦指脂也

五毒攻之ゝ毒藥謂五藥療之之藥三物也聚之所
以共衆醫之用也至毒之猛烈有不可共藥焉者則
晉語驪姬寘肉於堇寘酒於鴆唐武后毒賀蘭氏之
堇以上二堇非芨草之堇蓋黃堇也別有攷證及日南蠱毒之屬是也
淚 橘
淚者本目液李時珍曰淚者肝之液五藏六府津液
皆上滲于目本艸綱目人部艸木之津液粘滑者亦謂之淚
葱汁曰葱[illegible]木之淚或
煎煉或日[illegible]膋是也谷
隨其性異[illegible]

（注：五八、五九葉展示五六、五七葉上的夾紙信息，特此加葉。）

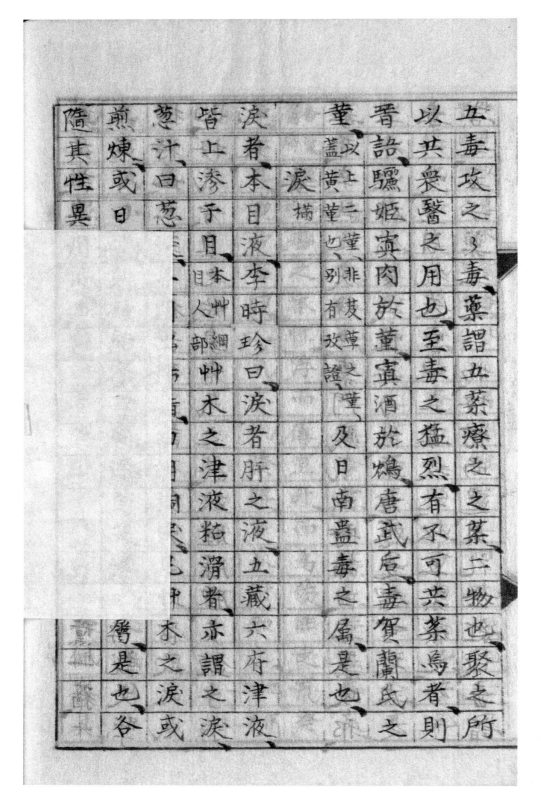

樠者蓋謂徒[illegible]武王遂行卒于樠木之[illegible]不也余意王者不死[illegible]地故傳假此不材之樹名以表其不德耳杜注以為大木名者不知何据按莊子人間世匠石所云散木液樠郭象注不在可用之数故曰散木司馬彪云樠謂脂出樠樠然余以此為證然藥性品味中余未見用樠字但李氏綱目有烏樠木烏木一名烏文木一名烏樠木李時珍云南人呼文如樠又本草和名引無名苑松脂一名樠音門斯云樠亦指脂也

膠

膠者、製造物之稱也、考工記弓人凡相膠、又有青白馬膠、赤白牛膠、火赤鼠膠、黑魚膠、餌、犀膠、黃、藥有阿井皮膠、驢馬皮膠、牛皮黃明膠、龜膠、鹿角膠等、是皆擣魚獸皮熬汁為膠、結物又為菜膠之本、性甘而平、治跌撲損傷等之血虛、最主緩、樹脂又曰膠、槐膠、桃膠之屬、是也、

油

油者、草樹子核、及昆蟲之肥也、凡味之粹、齊辛甘而濃滑潤矣、謂之旨味、溫而為陽、宣通導下、主緩、如蘇合香、丁香、薄荷、蘹香、菌桂、則辛香之品、蒸而升之、取

精分油、其性更純粹、辛熱芬芳、比尋常榨油踰救等、而能升、能清、主緩辛爽、

脂膩

脂者、禽獸之腴也、說文曰、戴角者脂、無角膏、禮內則注、凝者脂、詩衛風膚如凝脂、鄭玄云、脂寒而凝者言白也、或假以為草樹之上肥、上肥則其津液、塗涌予外、而凝結者也、有成於自然者、桃膠槐膠之屬、有出於人工者、今松香瀝青之屬、其味大氐苦甘而溫、能掃腸垢、止痛、主粟、輔仁、杏艸和名、赤檉一名檉乳、注木中脂也、撫證類注、脂汁、知是脂亦曰乳、膩六書故曰、脂之凝著者、說文上肥也、長箋凝上肥、當作土肥

醫書或脂膩通用又借爲細膩精蜜之義

膏

膏者脂類鱗羽毛郡之腴也既見札内則則四時之膏調和飲食也以使香美其味最音矣噉之令肥澤按西土謂醍醐曰醴或謂之醬漢烏孫公主歌以肉爲食以酪爲醬李陵荅蘇武書以羶肉酪充飢渴晋荀最既久羸賜乳酪夫彼郅距海遠之魚鹽之利故食雞豚狗彘之肉歠牛羊駝馬之乳以取其饜足耳於我何與膏之爲性多温熱可以瘳瘡瘍主要後世以膏爲脂油配合之藥名也凝者則脂以膏汰之蓋取義于斯矣又潤物曰膏礼運天降膏露詩小雅陰雨膏之

藥物產地

天下之產物因地勢必有良否焉素問異法方宜論既詳辨之本艸序例曰凡用藥必須擇州土所宜者則藥力用之有據如上黨人參川蜀當歸齊州半夏華州細辛世欲取藥物之良者宜察此語槃昔年應大醫令丹波藍溪先生之需作藥物出產志先生据余之志倣延喜之舊奏以定貢藥焉今尚不罷諸國每年貢焉以充官料矣

藥物采取

殖生之關乎藥者采之必可辨土審時矣野人山樵

特見其花葉而采其根故肆上之品種多虛軟而無力紫胡桔梗甘遂大戟紫艸前胡之屬是也大凡醫師不識山野之葉農夫固不識司命之旨二者無由參合因緣差失如之而醫師亦多不識肆人鬻塵久僞許之品一歸之於肆人不亦踈乎欲取其良無若詳性味而擇焉雖漢渡洋傳之物亦然如金石昆蟲略備其類色形狀是以其眞假稍易辨雖然其始不依師承復矣能得深辨細查之乎哉

君臣佐使

素問至眞要大論曰帝云方制君臣何謂也岐伯云

主病之謂君、佐君之謂臣、應臣之謂使、非上下三品之謂也、王冰注、上藥為君、中藥為臣、下藥為佐使所以異善惡之名位、服餌之道、當從此為法、治病之道不必皆然、以主病者為君、佐君者為臣、應臣之用者為使、皆所以贊成方用也、又陶弘景引本艸經曰、藥有君臣佐使、以相宣攝合和、宜用一君二臣三佐五使、可一君三臣九佐使也、又張華博物志引神農經曰、上藥養命、謂五石之練形、六芝之延年也、中藥養性、謂合歡蠲忿、萱艸忘憂也、下藥治病、謂大黃除實當歸止痛也、又文選引嵇康養生論曰、上藥養命、中

菜養性誠知性命理因轉養以通也又唐慎微引李
當之菜録曰上藥為君主養命中菜為臣主養性下
菜為佐使主治病又朗詠集載紀納言仙家春詩曰
養得自為花父母洗來寧辨藥君臣覺明注佐使其
驗極急君臣其力漸〻治病邪諸說如斯余捨素門
何取褚澄遺書曰製菜獨味為上二味次之多味為
下此語亦可察諸徐之才謂菜之大體十劑陶加二劑詳見本艸序例中後世莫復述焉者

及畏制伏
凡藥性有單行有相須有相使有相畏有相惡有相

又有相殺乃血氣五味之配妥合作之則或有反畏制伏是必不可謂無也胡洽治痰癖十棗湯加甘艸李杲治項下結核潰堅湯加海藻朱震亨治勞瘵蓮心飲加芫花之類古人偶忘之耳香川大冲舉此三方強立無反畏之說者踈矣唐宋以來之書勉著之雷斅炮炙論早既辨之李時珍綱目援引詳備因不重贅焉

六陳

茶肆稱古渡者世以為良品余嘗驗之至油脂香品角牙等或有勝於今傳者及草樹皮實古傳奚勝於今傳夫殖生萎枯之質歷年則性味脫洩不充用矣肆人則為利不廢焉世醫舉所云古渡而遵用者或

有之是正所以不識能味其味能真其真而擇之也譬猶捨蘇合之圓而取蜣螂之丸不亦愚乎花實皮根之屬固皆取其新良而可也然自宋世立六陳之目（證類本艸劉翰馬志引）元以降紀之者亦不尟也其液習至今莫復改之者既久按其始陶弘景注橘皮陳久為良後世竟呼橘皮為陳皮（證類本艸引唐孟詵）是係乎濫名矣槃令改貨六陳之可否以紀于左方

狼毒気味辛熱大毒破積聚通水気殺飛鳥走獸其辛毒之猛也蓋如狘狼之嚙人乃觀其名知其為毒意彼人懼之以取其陳或矣用耳若由是要其陳則

似取其性之緩也然則豈持得待狼毒烏似狼毒而性緩者比乃有之醫之為術亡慮緣邪之深淺測毒之剄柔毒藥攻之其治宜毒藥皆謂此也病邪是為毒所攻而袪則吾豈奚取陳而緩者哉吾則察其所應以取其新矣非邪

麻黃気味辛温発表出汗仲景麻黃湯云去上沫弘景云沫令人煩當是謂其新鮮者方今臧來者煮無沫亦不甚辛乃知是陳久之物未嘗見顕有発汗之効也儻用此湯偶有汗者必非麻黃之應也蓋辛香桂皮之驗也塵久淡薄之艸何能得発悪風無汗之

邪乎哉議者案諸
橘皮氣味苦辛溫利水穀下氣弘景云陳久爲良李
杲云久服能損元氣槃意彼邪產苦辛頗烈故彼邪
取其陳耶斯邪產源是非攻劇之菜矣雖長飲久服
吾未嘗見損元氣者但其氣微有苦辛之臭故輕々
炙過而可也其陳歷一週歲者氣味薄劣不耐用
呉茱萸氣味辛苦熱溫中有解鬱發表之効冦宗奭
云須深湯中浸去苦烈七次始可用槃意若微此製
則苦豈獨何能去哉全禀之氣味俱脫泄竟爲渣脚
陋說更甚矣令船傳助用有驗偶遭其闕取斯方培

種鮮顆沸湯一過乾定收蓄經冬春而可用
半夏氣味辛溫發治咽喉腫痛利水掃痰發極戟咽
喉是其効也特研用者漬薑而可也淪過麵造及陳
久者何効之有
枳實氣味苦寒破結實消脹滿逐停水去胃中之熱
是蓋亦賴橘皮之例耳吾藩薩摩國嘗培養枳樹每
歲鬻其實於四方凡十万餘斤其陳經二歲者更無
効矣
以上六種彼人要陳者蓋皆似乎嫌苦辛之臭烈也
豈有深意哉世醫賴紙上之論或遵用其陳久者其

有驗乎

煮散

張仲景大黃黃連瀉心湯方後云二味以麻沸湯二升漬之須臾絞去滓分温再服徐靈胎云法之最奇者不取煎而取泡欲其輕揚清淡以滌上焦之邪傷寒類方又證類本艸引經驗後方云嬰童疹痘三四日隱將出未色赤便閉者紫艸一兩剉以百沸湯一盞泡封勿泄氣待温時服半合紫草係是謂之泡藥此法極良再温之宜用重湯又千金方茯神散云下篩為粗散以帛裹方寸匕井花水二升半煮取九合時動

裹子、為一服又安神散五、以絹裹煮時動之、取八合

為一服、心虛實篇此二件亦建藥性之法也、凡煮散之法

無若泡藥或有蒸藥而取其精服之法用藥寡而得

効速又或煎獨味去滓和蕉糖再將文火煎煉能留

其性質則永貯不壞而其用亦便也金匱要略新療方

新療方

胡飲子方後再合滓為一服重煮又外臺秘要治瘡

引深則醇醨湯方後以水六升煮取三升曰醇未發時

須須服更以水三升煮取一升曰醨至発不斷須須

治瘡引深師方

服後世所云頭煎再煎之始盖本于斯按取氣味者

不可重煮取質者或有然者

金石火煉

凡金石煅之則其性更烈也如丹砂之為水銀為輕粉之為銀朱錫之為胡粉為黑錫鉛之為白霜為黄丹皆然（古煉石謂之丹後呼草根木皮亦配合之齊竟謬稱丹耳）又如花乳石石鍾乳礞石礬石〻膏等則然如砒礬最酷矣有一種似石非石者即滑石〻脂爐甘之類是一間物也煅之只鬆脆為灰迭其本性按似石非石近乎土者吮之粘于唇是其徵也

藥性討源分韻總目

安行

阿膠 甘 部
鴨 甘
罌粟殼 酸
鴉片 酸
菴蕳子 苦
阿魏 辛

伊行

萎蕤 甘
陰陽湯 甘
熊脂 甘
羊肉 甘
陽起石 鹹
熊膽 苦
羊蹄草 苦
胭脂草 苦
茵陳 苦
茵芋 苦
猬皮 苦
羊躑躅 辛
淫羊藿 辛
威靈仙 辛
郁李仁 辛
雄黃 辛

宇行

雲母甘　禹餘糧甘　烏骨雞甘　烏梅酸　烏臼木苦
芸香辛　蕓薹辛　鬱金　雲實辛　烏藥辛

江行

燕脂甘　燕子花酸　益母草辛　益知子辛　煙草辛
延胡索辛　鉛甘　鉛丹甘寒　營實酸　罌粟

加行

甘蔗糖甘寒　甘草甘平　柑子甘溫　海金砂甘　橄欖甘
茄根甘　甘松香甘　海松子甘　合歡木甘　乾地黃甘
鰕甘　海藻鹹　海象牙甘　海帶鹹　鹹蓬鹹
甘爛水甘　海螵蛸鹹　海蛇甘　廣東參甘　海狗腎鹹

蛤蚧 鹹　蛤粉 鹹　蟹 鹹　甘菊 苦　孩児茶 苦

蠏殼草 苦　荷葉 苦　艾葉 苦　甘遂 苦　欵冬花 苦

海桐皮 苦　海蛤 苦　夏枯草 苦　藁本 辛　香薷 辛

乾漆 辛　莪茂 辛　蘿 辛　香櫞 辛　雁翅柏 辛

乾薑 辛　蠍 辛　蝦蟇 辛　香蒲 甘　降真香 辛

巻柏 辛　玄明粉 辛

幾行

莧菜 甘　金銀花 甘　菊花 甘　玉鋋 甘　橘皮 苦

蕎麥 甘　玉蜀黍 甘　枳椇子 甘　龜板 甘　牛肉 甘

牛黃 甘　枳實 苦　金盞草 酸　鬼茉莉 酸　蓍實 酸

蚯蚓 鹹
蜣蜋 鹹
牛膝 苦
牛扁 苦
蕘花 苦

豨薟 苦
桔梗 苦
薑黃 苦
羗活 辛
夾竹桃 苦

芎藭 辛
牛旁子 辛
杏仁 辛
金 辛
凝水石 辛

金剛刺 苦

久行

栝樓 甘
苦瓠 苦
黃耆 甘
黃精 甘
黃明膠 甘

滑石 甘
黃虀水 酸
花蘂石 酸
蛞蝓 鹹
瞿麥 苦

瓜蒂
苦瓜 苦
苦瓠 苦
苦参 苦
苦来 苦

栝樓根 苦
槐角 苦
苦楝子 苦
貫衆 苦
黃連 苦

黃芩 苦
黃楊 苦
鶴蝨 苦
藿香 辛
藿菜 辛

葛根　辛
葛上亭長　辛
蝸螺　甘
槐花　苦
枸杞子　甘

討衍

莧實　甘
芡實　甘
雞肉　甘
决明子　甘
血竭　甘

荊瀝　甘
鯨牙　甘
犬肉　酸
玄精石　鹹
芫花　苦

景天　苦
茼麻　苦
荊芥　辛
牽牛　辛甘
桂枝　辛

醶　辛
輕粉　甘
螢火　辛
雞冠草　甘

古行

紅麴　甘
穀芽　甘
穀糵　甘
黑豆　甘
胡瓜　甘

胡麻　甘
胡桃　甘
琥珀　甘
昆布　鹹
胡黃連　苦

枸杞子　甘
粳米　甘
香蒲　甘
胡盧巴　苦
胡蘿蔔　苦

五靈脂 甘　五倍子 酸　五味子 酸　厚朴 苦　骨碎補 苦

胡荽 辛　穀精草 辛　胡椒 辛　紅藍花 辛　五加皮 辛

吴茱萸 辛　蜈蚣 辛　虎骨 辛

左行

山漆 甘　山慈姑 甘　泊夫藍 甘　山茶花 甘　酸棗仁 甘

蒼草 甘　沙糖 甘　桑白皮 甘　井泉水 甘　蒴藋 酸

酢漿 酸　醋漿 苦　山楂子 酸　山茱萸 酸　醋 酸

蚱蟬 鹹　皂礬 酸　柴胡 苦　三稜 苦　山豆根 苦

草決明 苦　蚤休 苦　犀角 苦　細辛 辛　草豆蔻 辛

草烏頭 辛　杉木 辛　蓬砂 辛　三柰 辛　皂角及莢 辛

桑螵蛸 甘

之行

常山 苦　小薊 甘　稷 甘　赤小豆 甘　生地黄 甘

沙参 甘　蜀葵 甘　升麻 甘　車前子 甘　紫葳 甘

紫草 甘　薯蕷 甘　絲瓜 甘　女貞實 甘　柿乾 甘

赤石脂 甘　戎鹽 甘　鯽魚 甘　蛇蛻 甘　真珠 甘

使君子 甘　榛子 甘　紫石英 甘　生薑 辛　蒔羅 辛

樟腦 辛　蜀椒 辛　酒 辛　辛夷 辛　蕺菜 辛

紫参 苦　秦艽 苦　刺蒺藜　藎草 苦　松蘿 苦

芍藥 苦　蘘荷 苦　薔薇 苦　薔薇根 苦　松節 苦

松上寄生 苦 松脂 苦 秦皮 苦 巵子 苦 梓白皮 苦
紫菀 辛 小蘹香 辛 紫花地丁 辛 縮砂 辛 常春藤 甘
紫蘇 辛 枳椇子 甘 高陸 蛇床子 辛 神麯 辛
自然銅 辛 麝香 辛 雀卵 酸 食藍 鹹 秋石 鹹
紫河車 鹹 紫檀 鹹 䗪蟲 鹹 砂糖 甘
須行
蕤核 甘 水蘄 甘 水蛭 鹹 水楊柳 苦 水楊梅 辛
水蘇 辛 水銀 辛 水松 苦 水仙 苦
世行
薺 甘 西瓜 甘 旋花 甘 石斛 甘 薺苨 甘

石膏 甘　石鍾乳 甘　蟬蛻 甘　石長生 鹹　石首魚 甘

萹草 酸　石榴皮 酸　青黛 鹹　石決明 鹹　石蠏 鹹

石龍子 鹹　蠐螬 鹹　穿山甲 鹹　青箱子 苦　石龍芻 苦

石龍芮 苦　旋覆花 苦　接骨木 甘　積雪草 苦　穿心排草 苦

硝石 苦　青魚膽 苦　菥蓂子 辛　前胡 苦　仙茅 辛

石菖蒲 辛　石楠葉 辛　石灰 辛　青橘皮　蟾酥 辛

曾行

蘇木 甘　蘇合香 甘　象牙 甘　續斷 苦　授櫚 苦

側柏葉 苦　續隨子 辛　葱 辛　栗 甘　皂角及莢 辛

多行

大麥 甘 大麥芽 甘 大豆黄卷 甘 丹砂 甘 田螺 甘
丹雄雞 甘 獺肝 甘 膽礬 酸 大戟 苦 大黄 苦
火青 苦 澤蘭 苦 丹参 苦 桃仁 大葉櫟 苦
澤漆 辛 大蒜 辛 大風子 辛 檀香 辛 大腹皮 辛
糯米 甘 大棗 甘
知行 苧麻
地膚 甘 釣藤釣 甘 竹瀝 甘 竹茹 甘 猪實 甘
地骨皮 甘 地漿 甘 地榆 苦 椿樗白皮 苦 猪苓 苦
猪殃 苦 猪膽 苦 知母 辛 竹葉 辛 徐長卿 辛
女菀 辛 陳橘皮 辛 猪芽皂莢 辛 鼴鼠 甘

天行

天名精 甘
甜瓜 甘
天門冬 甘
天竹黃 甘
檉柳 甘

天花粉 酸
天仙藤 苦
葶藶 辛
天麻 辛
天蓼 辛

丁香 辛
丁香油 辛
天南星 辛
鐵 辛
田螺 甘

泥鰍

登行

冬瓜 甘
冬葵子 甘
燈心草 甘
刀豆 甘
當歸 甘

土茯苓 甘
杜仲 甘
銅綠 酸
童便 鹹
豆豉 苦

茶 苦
杜松 苦
桐葉 苦
橙皮 苦
兔屎 苦

獨活 辛

仁行

人參 甘　人乳 甘　人中黄 甘　乳香 苦　二色栢 辛

人髮灰 苦　人中白 鹹　肉桂 辛　肉豆蔻 辛

乃行

硇砂

波行

白蒿 甘　白蒿 甘　白藊豆 甘　百 甘　百部根 甘

茅根 甘　馬藺子 甘　芭蕉根 甘　巴戟天　麥門冬 甘

白菜 甘　巴旦杏 甘　百沸湯 甘　白石英 甘　白膠 甘

白花蛇 甘　馬齒莧 酸　礜石 酸　麥芽 鹹　貝子 鹹

白微鹹	馬兜苦	白歛苦	白兔藿苦	白及苦
白鮮皮苦	白屈菜苦	敗醬苦	貝母苦	馬鞭草苦
白前辛	白芷辛	白荳蔻辛	白附子辛	白芥子辛
蓽撥辛	番木鱉苦	防己辛	防風辛	薄荷辛
舶蘹香辛	馬蘭辛	防葵辛	半夏辛	馬蓼辛
破故紙辛	馬勃辛	巴豆辛	柏子辛	百草霜辛
馬刀辛	斑蝥辛	白馬溺辛	芒消辛	白梅酸
比行				
萆解甘	榧實甘	冰甘	飛廉苦	薇銜苦
檳榔苦	枇杷葉苦	蜚蝱苦	蓖麻辛	砒石辛

蜚蠊 辛

不行

覆盆子 甘　佛耳草 甘　佛甲草 甘　茯苓 甘　楓香脂 苦

蝮蛇 甘　蝮蛇膽 苦　糞清 苦　附子 辛　浮萍 辛

芙蓉花 辛　粉錫 辛　伏龍肝 辛

邉行

萍蓬根 甘　扁青 甘　鱉甲 鹹　扁蓄 苦

保行

蒲黄 甘　葶藶 甘　蒲公英 甘　葡萄 甘　蓬蘽 酸

牡蠣 鹹　菩提樹 苦　鳳仙 苦　朴消 苦　牡丹皮 辛

墨 辛

末行

蜂子 甘　蓬砂 甘

麻子仁 甘　蔓荆子 辛　麻黄 辛　曼陀羅花 辛　蔓菁 苦

鰻鱺魚 甘

美行

蜜蒙花 甘　蜜蠟 甘　蜜陀僧 辛

武行

無花菓 甘　無名異 鹹　蕪荑 辛　無患 苦

女行

榠樝 酸　迷迭香 辛

毛行

木通 甘　木賊 甘　礞石 甘　木瓜 酸　木鱉子 苦

木槿 苦　沒藥 苦　沒石子 苦　木堇 苦　木香 辛

也行

野菊 苦　射干 苦　夜明砂 辛

由行

榆白皮 甘　鰌魚 甘 泥

與行

預知子 苦　礜石 辛

良行

臘雪水 甘
藍實 苦
蘭草 苦
絡石 苦
羅勒 苦
欒華 苦
雷丸 苦
落葉松耳 苦
落花生 辛
萊菔 辛

利行

梨 甘
菱 甘
綠豆 甘
鯉魚 甘
硫黃 酸
栗 甘
陸英 苦
柳葉 苦
劉寄奴草 苦
蕳茹 辛
鯉魚膽 苦
藜蘆 辛
良薑 辛

禮行

蓮實 甘
蓮蕊 甘
蠡實 甘
鱧腸草 甘
荔枝子 甘
龍眼 甘
龍骨 甘
鱧魚 甘
麗春草 酸
連翹 苦
連錢草 苦
龍膽 苦
羚羊角 苦
龍芽 辛
龍腦香 辛

蓼實 辛
呂行
蘆根 甘 露水 甘 爐甘石 甘 鹿茸 甘 露蜂房 甘
漏蘆 鹹 螻蛄 鹹 鹿角 鹹 鹵鹹 鹹 蘆會 苦
和行
王瓜 苦
惠行
衛矛 苦
於行
遠志 苦

藥性討源 下卷

曾槃纂録

甘部

甘寒類 凡六十六種

薺苨 利肺解微毒

車前子 消氣癰利水道清熱涼血

蘆根 下噎膈之疾清吐逆之火又能止嘔噦 皆非生汁無効

茅根 治諸般血證止吃逆極驗 非生汁無効

金銀花 散熱解毒已肌膚之瘡腫

冬瓜 略同上又有利水之効

胡瓜　清熱、解渴、利水、按開發閉塞、滌除陳滯、　莖、
葉、亦能利水道、汁、治痢渴、又解火酒之毒、皆勝
白瓜、
西瓜　解暑、除煩、利便、消水、　子、利脚気水気、皆勝
諸瓜子、
甜瓜　止渴、除煩熱、胃熱、利小便、
甘蔗糖　和中、助脾、潤燥、止渴、生津、
蔆　消暑、止渴、解酒醒
緑豆　清熱解毒、
黒豆　利水、下気、活血、散風解毒、

蕎麥　降氣寬腸、

栝樓　治痰、生津、滌腸上積聚垢膩、振出苦部

海金砂　治滲除小腸膀胱及血分濕熱、又通淋、

菫々菜　擣汁、洗馬毒瘡、并服之、又塗蛇蝎毒、及癧
腫、花、及莖葉、共清涼、而能潤燥、和柔、且強壯衰
弱、

蜀葵　除容熱、利腸胃、按柔熱酷烈、而分疏破裂、除
疼痛、殊有調和之効、白花者尤良、

萍蓬根　治痢、

佛甲草　湯火灼瘡眼目風赤、及爛腫赤斑、皆紋

頻貼之大葉者更妙

地骨皮　瀉伏火涼血能療在表無定之風邪

小麥　養中除煩按和柔酷厲烹釀熟成能奏分疏之効

大麥　滌陳刷滯開發閉塞能生津液有烹釀熟成及主清涼之効

燈心草　利水清熱通氣

荸臍　開胃消食下氣除熱生津

芭蕉根　薋　瀉熱利水　葉治瘇

莧實　明目利便

竹瀝　除火、行痰、能緩、潤燥、醒陰虛之熱、涼血、

竹茹　解虛煩、除噎噦、涼血、

天竹黃　涼心、豁痰、熱清而驚悸頓平、

鉛　墜寒、解毒、為瘡、壓炊腫丹毒、為粉、墜痰、殺蟲、

鉛丹　墜痰、解熱、消積、治吐逆反胃、入膏藥、生肌、止痛、

滑石　瀉熱、利竅、通小便癃、驅暑毒、消煩渴、

扁青　明目、

戎鹽　瀉血熱、緊臟骨、

臘雪水　治時行溫疫、宜煎傷寒火暍之藥、

地漿　解一切魚肉、菜蕈、茶物、諸菌毒、

真珠　瀉熱定驚癇鎮心氣去目翳、

田螺　利水、清熱、止渴、能停痔痛、皆研取汁用之、又和調赤小豆末、貼爲瘡更妙、

石膏　清熱、降火、生津、止渴、能瀉陽明之火、治乾舌焦不能息、

紫葳　酸　瀉血熱、破血、去瘀、莖葉花房、共穪外傳、逐水、治癰、裹以芭蕉葉

赤小豆　酸　通小腸、利小便、行水、散血、　花名腐婢、解醒療酒頭痛、勝葛花、

粟鹹 治胃熱消渴
生地黃 苦 瀉火平諸血逆
乾地黃 苦 滋陰涼血
天門冬 苦 滋腎靜肺潤燥止渴
沙參 苦 瀉火肺熱者能清
麥門冬 苦 清心潤肺除煩止嗽氣短能長
鈎藤鈎 苦 制火除熱去風定驚平肝氣
菊花 苦 清理寒熱養目血去翳膜
冬葵子 潤燥利竅通癃閉及產後不利
茄根 散血消腫

沙糖既出甘蔗糖

楮實助陽、及、治水腫氣滿、

密蒙花明目、

山茶花辛涼血、按生木灰汁、煑煉枯瘤蝕酒刺、

梨酸潤肺涼心、消痰降火、利腸、葉有清涼收斂之效、

桑白皮辛下気行水、利肺中之気、

冰瀉熱、

燕脂治筋急、其肉亦良、頭瘍白禿、貼脂、

象牙拔毒生肌犀角、一角、鯨牙、海象、牙、大氐同、

人中黄、解實熱及菜葉菌子之毒、
蜱蛻、除風熱、退目翳、
龍骨、濇、鎮驚、收浮越之氣、治泄利盗汗、
鯨牙、鹹、解血毒、
海象牙、鹹、解血毒、

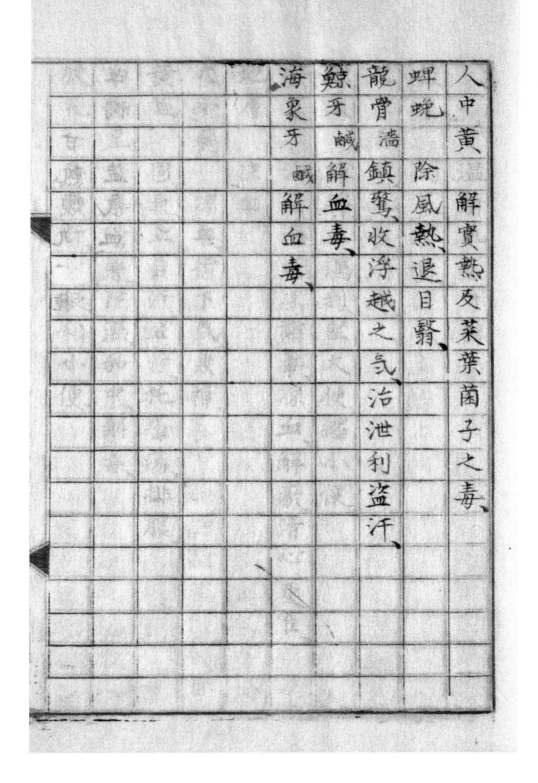

甘熱類　凡一種

羊肉　益气血、

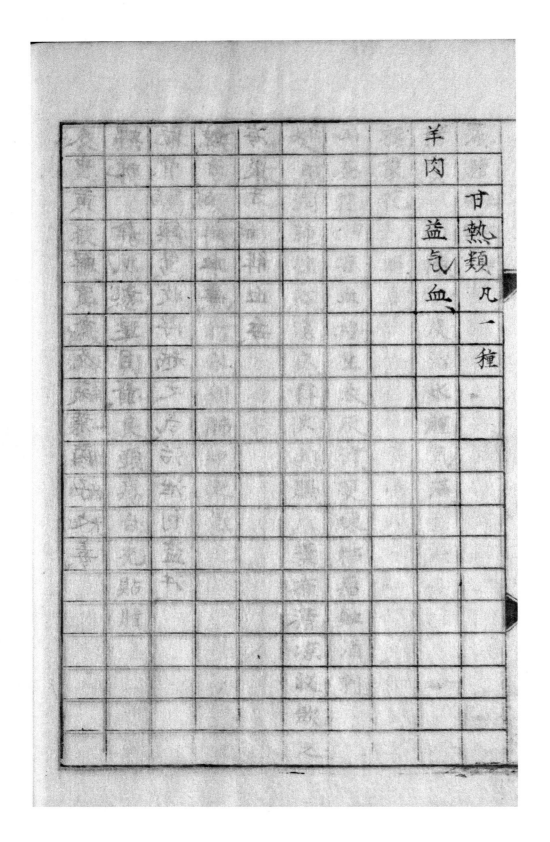

甘温類凡七十種

穀芽　開胃、消食、

大麥牙　化食、消痰、

糯米　補脾、止瀉利、堅大便、縮小便、

紫草　治痘疹瘡瘍諸毒、涼血、解痳、清心更佳、

地膚　涼血、

大小薊　涼血、行下氣、兼補、

黄芪　固表、止自汗盜汗、托瘡瘍、排膿、

白藊豆　專清暑、除濕、和中、解毒、

旋花　去面皯、根利小便、

蠡實　下水、
紅麴　活血、清痢、消食、解痘疹毒、
海松子　堅大便、縮小便、止瀉利、
蕤核仁　明目、散風邪、清熱、為末和鴨跖草汁治目
赤、
使君子　治蛔痛之流涎、
胡桃　通血脉、潤肌膚、
龍眼　益血、
蘇合香　通竅、開鬱、避惡氣、
石鍾乳　通百節、利九竅、

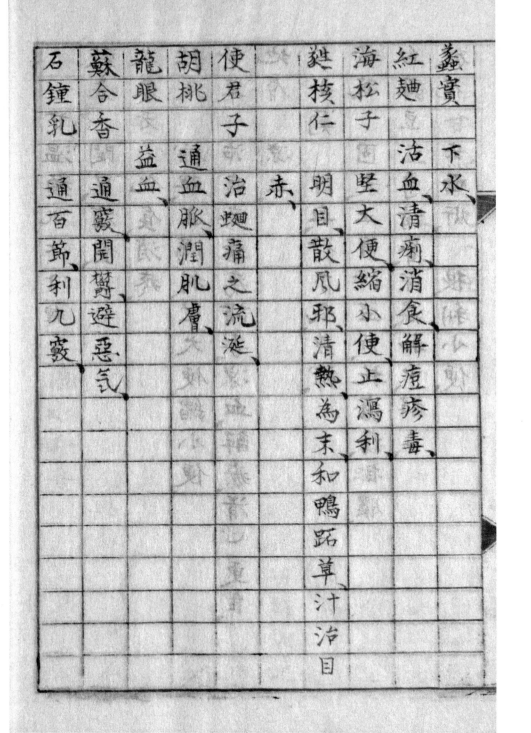

爐甘石　通血脈、散熱風、治目疾、
鯽魚　和胃、實腸、行水、為鱠止利、
鰕　托痘瘡、下乳汁、海鰕頭殼為末、和火消痰定
鷺　理脚氣衝心及久咳、
牛肉　益氣、生肌、
薺　利肝、和中、按有清涼收斂之効、根治目痛、
根葉燒灰、治赤白痢、
常春藤　風血羸瘦、腹內諸冷血閉、一切癰腫、莖
葉、和酒溫服、按其生青者、有清涼收斂之効、
柑子　酸　利水穀、下氣、按此方柑皮適彼邦之橘皮、寒月者、燒而存

性、為霜、消魚骨硬、

赤石脂酸溫能固大小腸崩漏之虛脱、固主泄利腸澼、

百沸湯　助陽氣、行經絡、

蜜蠟　治下痢膿血、

雞肉　治婦人崩中漏下、補虛溫中、除邪、又調中、破宿血、生新血、諸雞大底相同冠血鹹平治中惡、又治縊死、溺死欲絶、及小兒卒驚客忤、皆可令飲鮮血、肝、療大人小兒風虛目暗、和朱砂火消為丸、又能治雞矇眼、

丹雄雞　補虛、溫中、止、益氣、補血、清咽、開音、散熱、

定驚、

烏骨鷄　養血、益陰、治虛勞、

五靈脂　濇　散血、破血、和血、止血、止痛、

鹿茸　鹹　振下元之真陽、周血脈、散熱、消腫、

玉述　苦　決壅潰圍、疏散鬱積、發汗、沉掃傳滌、

白菖　辛　去蟲、斷蚤蝨、投　杏竄、開發、閉塞、稀釋、粘凝、分

利小水、

覆盆子　酸　益腎、添精、縮小使、

木賊　苦　發汗、散水、生血、退目翳、

山漆　苦　治痢崩、止吐衄、跌撲杖傷、搗敷即已、

百部 苦 治肺熱欬嗽殺虫

蓮蕊 濇 清心固精 花出辛部

甘松香 辛 香 理諸氣醒脾開胃善降惡氣

當歸 辛 養血潤燥散內塞止痛

巴戟天 辛 祛風添精強筋骨

蒼朮 辛 去濕辟瘴燥胃發汗頗逐痰水

山慈姑 辛苦 清熱散結解毒又治帶下破瘀血

人乳 鹹 潤五藏分理血液治風火點眼明目

白花蛇 鹹 透骨搜風截驚定搐

獺肝 鹹 補腎肝治傳尸蟲

陰陽湯　鹹　治霍亂吐瀉
蛇蛻　鹹　去風毒殺蟲定驚外傳滑澤臟膚
橄欖　濇　清咽生津化鯁喉解魚毒
血竭　鹹　除血痛散瘀生新為和血之聖藥外用已久
瘡不合按療諸般滯下下利及吐血
蘇木　辛鹹　治血去瘀解表
杜仲　辛　聯絡筋骨之離治腰膝痛　實為末殺陰蝨
又或煎服亦可
檉柳　鹹　善走血分解痘疹及痧毒
白石英　潤肺

紫石英　鎮心、散氣血、醋淬可敷癰腫、
礞石　鹹　下氣、利驚、磿食積、墜宿痰、
大棗　平胃、和百藥、頗軟大便、
天名精　主瘀血、血瘕、下血、血利、
升麻　辛苦　發陽明之汗、能扶內傷、解毒、
蒼耳　苦　上達頂腦、兼能發汗、按、能治堅硬腫毒、
蓮實　濇　濇精氣、清心、醒脾、止瀉利、
芡實　濇　止白濁、治濕痺、止腰脊痛、
穀蘖　令食自消、
白菓　苦濇　斂肺、去痰、定喘嗽、能化蚌蛤之肉、

蝮蛇 釀作酒、療癩疾諸瘻、治腸風及皮膚頑痺瀉瘀血、利水風、乾煎服亦可、膽、出苦部

海蛇 療癎疾、利水、略似蝮蛇而緩、利水亦似鯉魚、

鼬鼠 溫臭 殺蟲、又爲霜、調生漆汁、爲丸、治癲癎、甚妙、

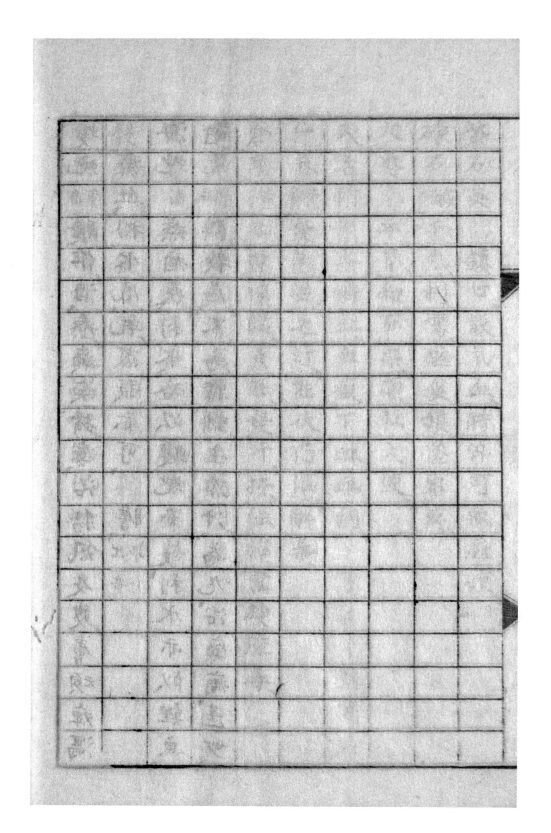

甘涼類凡十種

雞冠草苗、治痔瘡血病、子、治赤白痢崩中帶下、花、治痔漏下血、痢帶下、下利吐血婦人白帶男子熱淋、效主清涼、白花為良、

粳米長五穀以獨尊、纏先天益氣、和中、補中、

人參苦芳大補元氣、生津液添精神通血脈、主亡血、虛脫、難產欲絕、更走氣分、治頓虛不利於漸虛矣、

廣東人參苦治諸般血證、能走血分、

香蒲去口中臭爛煩理瘀血、

丹砂、鎮心、清肝、定驚瀉熱辟邪治煩渴不駐

蓬砂鹹降上焦痰熱生津、治咽喉口舌諸病

牛黄 清心解熱利痰鎮驚癎

鴨 滋陰補虛

苧麻 滑莖葉生汁、治打撲 根貼丹毒及蛇蟲咬又

服治心煩熱疾

甘平類 附淡 凡六十一種

甘草 補脾胃不足、協和諸藥、解百藥毒、通經、緩急、堅筋骨、長肌肉、潤澤五内、

萎蕤 潤心肺去風濕、有收斂之効、

黃精 効同萎蕤、按原是一物、

蒲公英 化熱毒、消腫核、惡瘡、通淋、涼血、

蒲黃、止血消瘀、清膀胱之源、利腸胃之氣、又傳火傷、極驗、

馬藺子 治寒疝、解毒、

稷 益氣、和中、宜脾、利胃、

玉蜀黍　熱瘡腫擣實取津液傳之又治風疹采葉
搗綫取青汁蘸布敷之
胡麻　有益於虛羸濕痺中風能通血脈　葉煮湯
可洗疣目
芥子仁　緩脾潤燥　葉揉為絨和艾灼瘰癧日三
五壯則自愈
刀豆　溫中下氣止呃
絲瓜　涼血解熱毒化痰行血道　蒂可以代甜瓜
蔕善吐滯氣
百合　潤肺清熱止嗽治腹脹心痛胃脘痛　花止

痛、柔堅、能消化、葉、柔堅、熟物、又主消化、

薯蕷、補脾、固腸胃、濇精氣、止瀉利、

葡萄　主筋骨濕痺、又治咳嗽、勝於五味子矣、

水蘄　治女人赤沃、止血、

大豆黃卷　治筋攣膝痛、

白蒿　益氣、已心懸、（食而忽饑、謂之心懸、）

佛耳草　下疾、喘、能祛肺脹、

燕脂　治血、浸汁滴聤耳、

枳椇子　止渴、除煩、解酒毒、

枸杞子　潤肺、清肝、補血、除熱

柿乾 潤肺、寧嗽、消宿血、和黃蘗末為泥傳蝮蛇咬

傷極驗、為霜、生津、化痰、帶為末、止呃逆、

無花菓 開胃、止泄利、治咽喉痛、按、能和腫熱諸瘍

葉、煮湯可洗浸淫瘡腫、總有緩急之効

榛子 益氣力、實腸胃、花止諸般出血

巴旦杏 止欬、下氣、消心腹逆悶、

荔枝子 益血、養榮、

合歡木 殺蟲、

荊瀝 除風熱、化痰實 亞淡竹瀝可、

琥珀 寧心、消瘀血、利小便淋瀝、油丸為良、

雲母　下氣堅氣乳難酒服產後小便閉亦佳

露水　止消渴

井泉水　解熱悶煩渴

露蜂房　能軟堅解毒殺蟲止牙痛為末和膏善己
壞瘡

蜂子　治虛羸燒灰和膏治瘰癧腸癰

鯉魚　下水氣利小便　膽出苦部

鰻鱺　去風殺蟲利骨蒸

鱧魚　治水氣

石首魚　治暴痢腹脹

亀板 補血下火

阿膠 安血虚胎動定痿弱之喘治女子下血療跌撲損傷

黄明膠 効同阿膠

白膠 主羸瘦

泊夫藍 辛 主心憂鬱積気悶不散治血按強壮心気而又有開達消化柔軟之効

土茯苓 去風湿健脾胃利小便已楊梅瘡

萆薢 辛 主骨節風寒湿周痺去宿水同下焦

決明子 苦鹹 除肝熱治赤白膜眼

鱧腸草 酸 涼血、療赤痢、

酸棗仁 酸 寧心、斂汗、解虛煩、已酸疼、療膽虛不眠、

榆白皮 利諸竅、通大小便、

女貞實 苦 去風濕、消宿血、

榧實 澀 殺蟲、治疝、

禹餘糧 澀 固下焦、治煩滿、療血閉漏下、

桑螵蛸 鹹 治疝瘕、

接骨木 苦 折傷續筋、根皮主痰飲、下水腫、花行

痰血、多服吐利、

石斛 上平胃氣虛熱而吐噦、兼致下補腎經勞弱、

而崩帶交更刑

澤瀉　鹹入膀胱利小便除濕熱

木通　導濕熱通小便利關節能疏九竅

茯苓　除濕寧心悸通水溢利小便

甘爛水　利小便

泥鰍　暖中收痔能發癮疹之蚍

地漿　解魚毒蕈毒

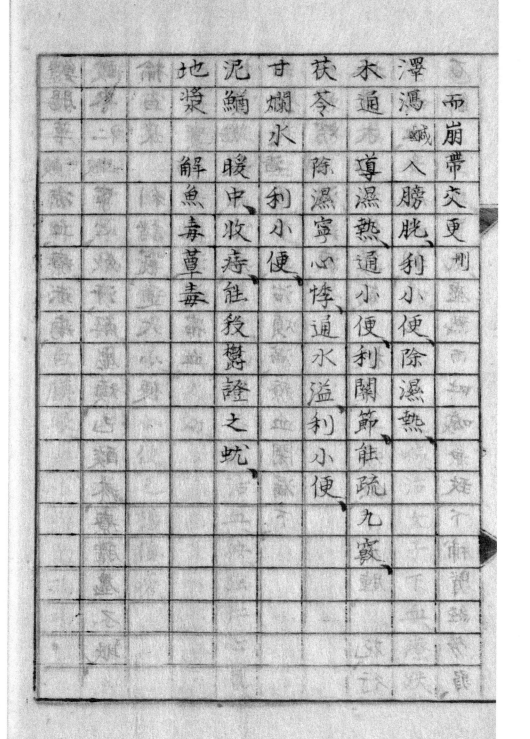

鹹部

鹹寒類　凡二十四種

鹹逢　瀉熱涼中、燒灰淋汁、煮取鹽用、効與蓬砂同、

青黛　瀉肝、散鬱火、化熱毒、

海藻　軟堅、消癭瘤、治痰飲、利水腫之濕熱、

昆布　効同海藻、性雄、取鹽己齒痛、納瓷器周封、則鹽自發、

海帶　効同海藻、

紫檀　和榮気、消腫毒、止血、定痛、又収齒痛、

玄精石　瀉熱補陰

青鹽　涼血、

童便　能引肺火下行，滋陰甚速，且清血最驗。

蚯蚓　清熱利水，泥蘇震死，敷臍上而灸，按蚯蚓治
者最妙。

螻蛄　理產難，又出肉中刺，為泥敷之。

䗪蟲　破血閉。

蜣蜋　治小兒驚癇。

蛞蝓　治驚癇攣筋。

石龍子　破石淋，下血，利水道。

穿山甲　潰膿，破血，能通經絡。

蟹　散血，續筋骨，已漆瘡，塗其汁。　爪　墮胎。

石蟹 己目翳

紫河車 補陰散痰血治五劳七傷

石長生 除惡瘡大熱已鼠毒辟惡気

漏蘆苦 主通利下乳汁排膿解毒

鹵鹹 治大熱消渴

食鹽 瀉熱潤燥通二便引吐

鼹鼠 燔之療癰疽諸瘻蝕惡瘡陰䘌爛瘡按服黑霜能止諸般出血又能縮月暈紅潮燒法去腸洗淨盛洋參紅花藍花於腹內固縫

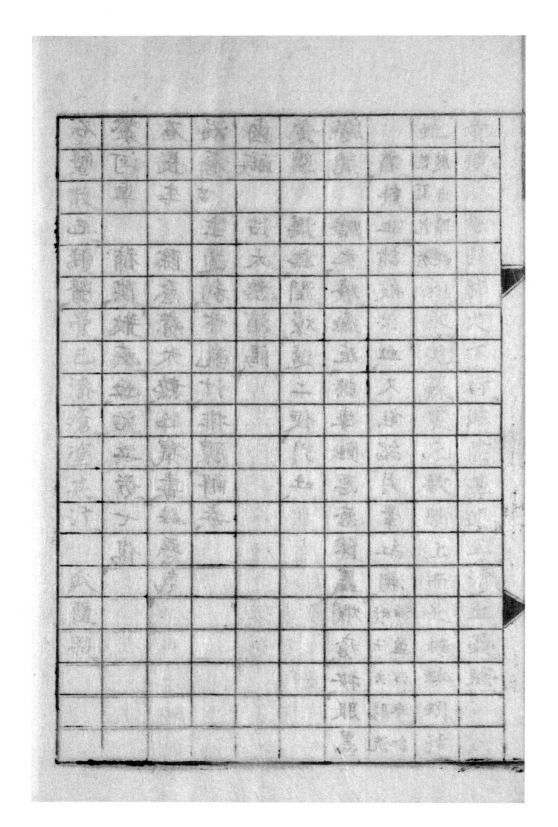

鹹熱類　二種

海狗腎　助陽、

硇砂苦辛　破瘀治噎膈癥瘕、入血分、軟堅、潰爛肉、又能澄惡血、化酸臭之液、又治糟雜吞酸、

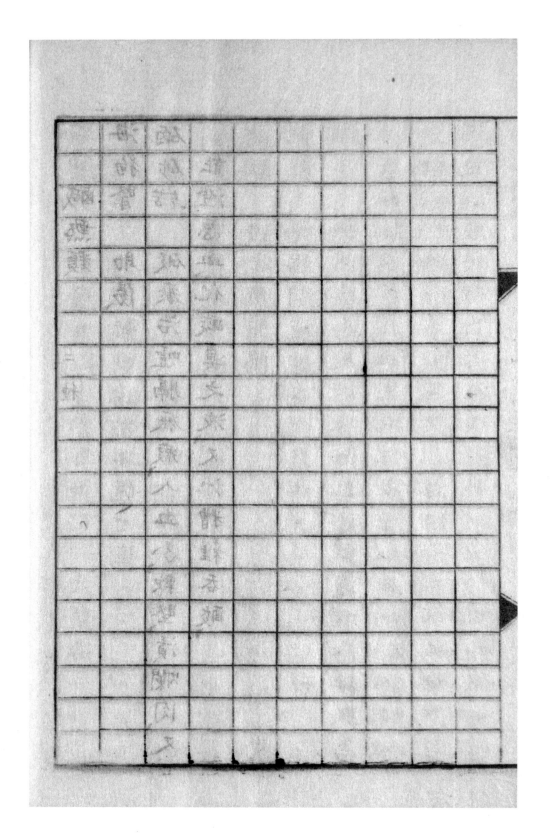

鹹温類 凡八種

麥牙 開胃、行氣化一切米麪食積、

秋石 滋腎水、潤三焦、

鹿角 治脫精、水磨服、霜 行血消腫、

鹽 治胸膈不利諸症極驗、

陽起石 破子藏中之血結、

蠐螬 除瘀血、開痺破折血在脇下、

海螵蛸 通血閉、去熱消陰、

牡蠣 清 軟堅、化痰、收脫、斂汗、末服化糟雜吞酸

蚱蟬 辛 斂小兒驚癇夜啼、

鹹平類　凡九種

無名異　甘　瀉風熱補陰

人中白　降火散瘀善己湯火傷及撲破

蛤蚧　定喘止嗽按祛勞熱

水蛭　逐惡血瘀血破月閉削血瘕

鱉甲　益陰虛而去骨蒸之熱治溫瘧療痞疾

石決明　瀉風熱除青盲肉障煆用化結毒

蛤粉　總理諸痰與牡蠣稍似

貝子　治目翳與真珠彷彿

石鱗魚　箱根山方言山椒魚　治久咳極驗効與蛤蚧軟同

酸部二

酸寒類　九十種

金盞草　治腸痔下血按有開達消化之効　花尤良而又能發汗除傳染悪氣　莖取汁飲之亦良後温覆取汗

罌粟殼　濇鹹　斂肺濇腸治久嗽久痢　粟止痛

麗春草　濇鹹　治瘡黄按能止諸痛　花蒸取精露治火疝熱病

馬齒莧　散血解毒治諸淋殺蟲之効可代砂永

茜草　鹹　行血止血消瘀通経　根止吐血衄血治蓄

血之黄疸　葉治齒痛

五倍子 鹹濇 生津化痰止嗽鎮躁殺蟲理疳䘌齒宜

皂礬 濇 酸涌化涎已喉痺燥濕消痰

礬石 鹹濇 逐涎化痰治泄痢白沃陰蝕瘡入骨以除固

熱祛鼻中瘜肉磨水解砒礜之毒

膽礬 濇辛 主明目諸癇痓吐風痰

黄虀水 鹹 吐痰飲宿食

酸溫類 凡十二種

五味子 澀 四味似煩錯 斂肺、滋腎、生津、寧嗽，功略同葡萄。

鴉片 澀 止瀉痢及小兒卒咳，又醉邪氣。

蒴藋 風瘙、癮疹、身癢、濕痺，可作浴湯，功與接骨木

彰同。

木瓜 澀 和脾、舒筋、去濕、消水脹。

石榴及 澀 澀腸、止瀉痢。

山楂子 甘鹹 行氣、化痰、消食、散瘀、通滯。

烏梅 澀 斂肺、生津、殺蟲，功與白梅相近。

白梅 治痰厥僵仆、牙關緊閉。

硫黄　掃疥癬禿頭除腸中痃癖醒注舩注車按治痧脹此物有附子之煖而兼大黄之通故能治冷瘡

雀卵　煖腎

犬肉　鹹煖脾

醋　散瘀解壅熱血液逆行及砒礬之毒宜禁水飲効與礬水略同

酸平類　凡十種

天花粉　苦　降火潤燥滑痰解渴蠲胃清腸

耆實　明目

酢漿　治煩滿利水道攻冷疝及寸白蟲　此云酢漿三葉酸也

此本經所載酸漿異醋漿即燈籠草

蓬虆　強志倍力

營實　主敗瘡熱氣下支飲

鬼茉莉　葉治皮膚熱流注骨節癰腫按專理腐水

敗液　根尤良　或云是本草所載火炭母草

榠樝　濇　解醒去痰爽惡心止心中酸水　實亦為膏

乙諸般出血、及嘔吐大過、

山茱萸（辛濇）心下邪氣寒熱、温中、逐濕痺、去三蟲、按月経過多、末服、花最能治月経過多、

銅綠淘風爛眼、點之、又吐風痰、和膏藥、蝕肉、（不得礬石、不能）

花蕊石（濇）治産婦之血暈、又止血、化痰、

苦部

苦寒類 凡八十一種

黄芩 苦主諸熱黄疸腸澼洩痢瀉中焦實火除寒濕清大腸

胡黄連 去心熱益肝膽治疳熱及骨蒸温瘧

山豆根 瀉熱解毒破喉痺專瀉心火

白鮮皮 主陰中腫痛除濕熱通關節又治諸黄風痺

瞿麥 主諸癃利小腸逐膀胱邪熱利水墮胎按青殭壯心気之効

王瓜　瀉熱利水行血消痰祛喘核消痰

瓜蔕　引涎追淚水濕外散而吐痰涎宿食上膈實邪緩瓜蔕胡瓜蔕亦可換用

豆豉　發汗調中除煩

火戟　蒼　主腹滿急痛瀉五內之水濕利大小便

商陸　主水腫疝瘕疏五藏瀉宿水

甘遂　主疝瘕脹滿瀉經遂水濕達水氣所結之處以攻決為用又破癥消痰

射干　治喉痺咽痛降欬逆散老血瀉火消痰

夏枯艸　破癥散癭結氣脚腫濕痺按開發閉塞決

壅漬圍稀釋粘凝滌刷陳帶

蘘荷　温瘧寒熱酸嘶煮葉飲服

連錢草　專療丹毒按有閉發閃塞滌除陳滯之効絞汁微温蘸綿衝耳中治聾及耳痛腦寒咽瘡煮陽頻服此非胡薄荷之連錢即積雪草

醋漿　治熱煩利小道小兒無辜瘤發寒熱並煮汁飲服亦生搗汁服研膏傳小兒閃癖又治疝及婦人寸白蟲根莖花實共煮服按能開達而利小道此即酸漿一名燈籠草

苦芺　除熱邪解勞之清心明目按金創及惡瘡搗

葉為泥貼土、實煑蝋油、蘸綿貼之亦良、

夾竹桃　按葉塗蚊螫中毒、又散瘡腫、洋人取生汁、塗箭鏃、以毒禽獸、云、

栝樓根　治消渴、安中、仁出甘部

紫参　利大小便、已血利、

苦参　主積聚、黃疸、療惡瘡、去熱毒、

胡薄荷　主風氣壅閉、併理胸膈、作湯飲之、研汁點暴赤眼、又治小兒瘡、即積雪草、方書亦或謂之連錢草、

羊蹄草　愈頭禿瘡、搗取汁敷之、

苦菜　療胃痺、

陸英 治疼痠膝寒

蕘花 下諸水

苦瓠 療面目浮腫四肢水氣案燔之巳代梢及敗瘡

葉按貽婦人乳房舡下乳汁

藍實 解毒殺蟲蚑

戹子 瀉鬱結之火治心痛懊憹吐衄

衛矛 掃崩中陳血通經落胎殺蟲祛祟

預知子 瀉熱

苦楝子 主大熱煩狂祛鬱積之蓄熱治冷固之疝

癬諸蟲自消

雷丸　消積殺蟲

槐角　疏風熱、涼大腸、實治崩中痔漏、止涎唾、

枝　散結毒、燒灰和醋貼之發泡結毒、蒸酒取精能

血綿髮、(以名醋洗去宿油傳之)、又為泡湯、治諸瘍結毒、

桐葉　蝕惡瘡、皮療痔疾、

梓白皮　除熱去蟲、枝實燒灰淋汁煎熬蝕惡肉

諸瘤、効與丹波椿灰同(榛灰又曰山灰)

柳華　治風水黃疸、葉包馬瘡、實逐膿血、

枳実　破結實、消脹滿、逐停水、去胃中之熱、

欒華　治目熱赤痛淚出、

青魚膽　療目疾

鯉魚膽　療目疾

熊膽　涼心平肝殺蟲治癇明目醒驚清火

蝮蛇膽大苦寒効似熊膽而烈能治䘌瘡諸漏與杏仁

俱研而傅之

猪膽　潤燥瀉肝膽之火

兎屎　殺蟲明目療瘵

人髮灰　入心除熱膀胱通利和血結之痛能消瘀

血

糞清　解大熱毒

茵陳　通利風濕寒熱邪氣治熱結黃疸專理溲便

龍膽　治驚癇瀉膽火祛下焦濕熱除胃中伏火

盧會　除煩清熱殺蟲涼肝鎮心蕩滌胃中按鷹之

猛狼者用之以和其性

黃連　主熱氣目痛瀉火涼血治大毒中于心肝

大黃　主下瘀血閉留飲宿食蕩滌腸胃推陳致新

走結　血結尿隨胎催生止泄瀉下利

馬鞭草　破血通經殺蟲少有收斂之効

青葙子　祛風熱明目治障翳通利淋閉

草決明　瀉肝明目

大青解心胃熱毒，又宿治天行熱病。
貫衆解邪熱之毒，已頭風，破癥瘕。
連翹散六經腫毒，又消血凝氣聚。
牛扁主身皮瘡熱，為湯可浴。葉已金瘡，止宿血。
搜膿腫不見療乳房硬及熱痛。
石龍蒭通淋閉，按搗爛貼頑痺。
蚤休下蟲救驚亂而卒倒如僵，按已傳染中毒，能
發汗。
芍藥酸調濕和血脈，收隋氣，緩中止痛，破堅，治寒熱
疝瘕。

地榆清下焦之濕熱理大府之流紅又已帶下
白薇鹹利陰氣下水氣截溫瘧莖葉煮湯已諸創
止血絞汁服掃天行疫疾
犀角鹹瀉心胃大熱利瘀解理諸般血症按竹牛角
水牛角宜換用
羚羊角鹹瀉肝邪熱清肺熱祛風舒筋下氣
消石尋常者錯精煉則苦鹹滌去蓄結推陳致新定心驚理脚
氣衝心又能融化腸胃中澂波澄惡心
朴消除寒熱邪氣逐六藏積聚結固留癖化飲食
推陳致新養胃消穀

蜚虻　逐瘀血，破下血。

菴蕳子　苦辛微冷　行水散血，療臚脹。

貝母　同上　吐虛痰，滌傷寒之熱煩，解心思之鬱結。

白斂　苦辛甘冷　治陰中腫痛，血分之熱，可泄榮衛之逆，可和肌肉之疼痛。

紫胡　苦平微寒　發散少陽表邪，退熱升陽，平肝火，去兩脇之脹痛。

秦皮　苦澀寒　治下痢，除熱，去目中青翳白膜。

側柏葉　苦澀微寒　清榮衛，理諸血證。

茶　苦甘微寒　化痰，解煩渴，下氣，消食，清神，又清頭痛。

桃仁苦甘寒破血滯燥癢花苦寒微澁下支飲利大便而爽腸胃

椿樗白皮苦澁寒治濕熱下血經年之瀉利腹痛又澁腸治痢

孩兒茶寒澁清上膈化痰生津止血收濕定痛

水仙苦微寒根治癰腫及魚骨哽又磨水澄取粉治目翳花罷五心發熱作香塗身理髮去風按諸般瘡傷及疥癬搗根塗之湯火傷和蜜以貼乳房硬腫亦良

番木鼈苦寒治喉痺去狐殃為末吹鼻孔除睫毛倒睫

苦温類凡四十二種

刺蒺藜　散惡血破癥結益精明目

骨碎補　添腎堅骨治折傷

胡盧巴　達膀胱而逐冷攻疝

劉寄奴草　治心腹之刺痛

天仙藤　疏気治血消腫

芫花　能消脹蠱　根苦辛熱　攻水勝於甘遂大戟之雄　又殺蟲魚

茵芋　利關節祛風濕治痺痛

絡石　治口乾舌焦

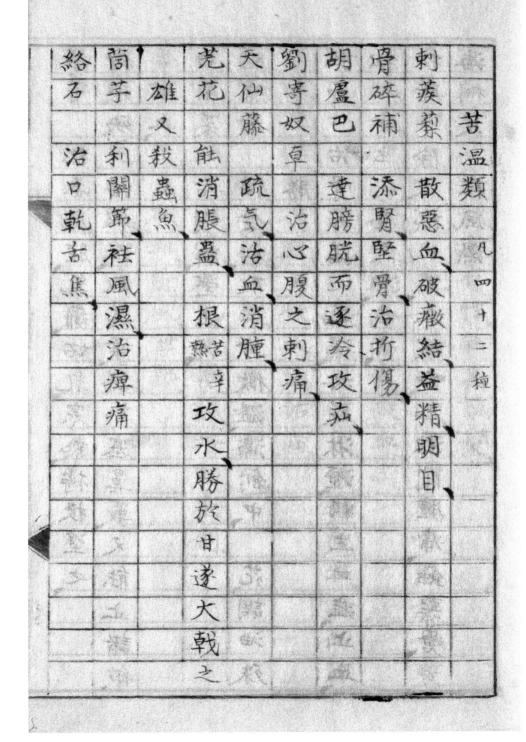

蔓菁　熱毒風腫、乳癰、妬乳、寒熱、擣根塗之、

猪殃殃　治衂血、取其葉、擣熟、塞鼻竅、又能止諸般出血、

白屈菜　治錢癬、塗生汁、

胭脂草　治金創、取生汁、微温、滴創中、花、調油、殊勝

松節　治骨節間之風濕、按通淋瀝、顛主血症、止血、

松上寄生　痊久淋、甚奇、

松脂　除伏熱風濕、止咳嗽、已淋閉腫痛、蝕惡瘡、

海桐皮　袪風濕

波石子　澀精、燒存性、能烏蒜髮、

菩提樹　口中小瘡、及鵝口瘡、煮葉頻嗽、又塗毛髮脫落、汗止、鼻衄、燒為霜、散凝血、

落葉松耳　開發閉塞、決壅潰圍、稀釋凝粘、滌刷陳滯、治泄利、腐敗、支飲、又能治疝、

木鱉子　利大腸、消腫、追狐妖懼之、

艾葉　溫中、開鬱、理氣、逐寒濕、挼貼金創、

薑黃　下氣、破血、除風、泄熱、

續斷　通血脈、續筋骨折傷、

鶴蝨　殺蟲

旋覆花 辛下氣消痰理風水

遠志 利氣強志治善忘驚悸迷惑

馬兜鈴 耑主肺熱喘嗽

豨薟 展風風痺麻木之不仁助脚膝痠疼之無力

秦艽 去寒濕風痺下水養血榮筋

白及 止吐血衄血斂敗疽淺熱滑肌

厚朴 消痰化食能下氣實滿去腹脹消

野菊 止泄破血婦人腹內宿血宜之又治癰疽疔毒瘰癧眼赤 花熏油已諸蟲毒螫搽婦人乳房硬腫取莖葉搗熱貼之

羅勒 去惡氣消水氣哾嘔者服汁 根燒灰傳小兒黃爛瘡按能通月經利小便

杜松 治諸中毒開諸閉塞稀釋粘痰凝液驅逐小水 樹皮燒灰已疥癬惡瘡樹煙能掃天行疫氣

鳳仙 子理產難積塊噎下骨硬透骨通竅 花為末服尤良

蘭草 甘辛 利水道除陳氣和氣血

澤蘭 消四末之浮腫和血散鬱止肉衄

欸冬花 微辛 治咳逆消痰瀉熱止嗽按有強壯肺藏之效 葉 苦涼 按貼湯火傷

檳榔苦辛濇温瀉胸中之氣、消宿食、墜痰、行水、破脹攻堅、殺蟲能袪瘴癘、

橙皮苦辛温散腸胃惡氣、消食、下氣、去胃中浮風、利膈、寬中、取未熟者之汁、酸寒常和砂糖服、能消食寬胃、

苦凉類 凡五種

木槿 治血潤燥

烏臼木 瀉熱毒利水通腸

薔薇 瀉濕熱治結毒又良於口瘡嫩苗及根皆同

金剛刺 辛 通小水發汗能解癧毒痳癬痛風等之毒

功勝於土茯苓

槐花 解諸般鬱毒

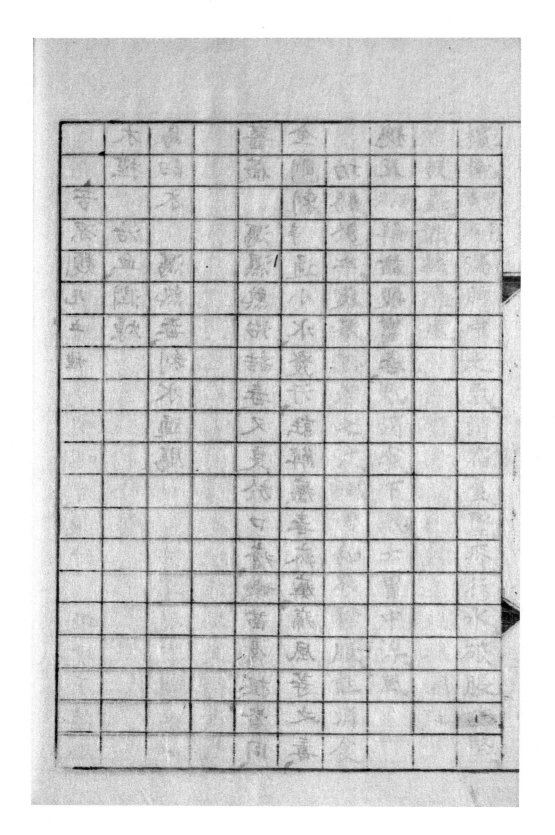

辛部

辛寒類 凡二十三種

蘭茹 破血蝕惡肉排膿血

水銀 療疥瘻痂瘍白禿皮膚中之蝨

夜明砂 治血除熱散內外結滯

白馬溺 鹹 殺蟲攻癥瘕伏梁効齊乎硇砂

粉錫 殺蟲解毒療瘡

藜蘆 苦 治泄利腸澼風癎吐上膈之痰

鬱金 調逆氣行瘀血涼心熱散鬱下氣破血

紫花地丁 治癰疽解毒

防己 苦 通腠理，利九竅，下水，能拂腰脚之風溼，効于

下部

葶藶 逐邪，利水道，滲泄而走膀胱，伏熱肺水憤急

者，非此不能除。

知母 主肢體浮腫，制心肺火，潤腎燥。

澤瀉 苦寒 微 利大小腸，治大脹及面目浮腫。

蔓荊子 散風寒，涼血，止太陽之頭疼，又明目。

牡丹皮 主瘀血留合腸胃，又能破宿血，清腸胃。

益母草 行瘀生新血，明目，浴可已癮疹痒，按有通

利小水之効。

常山 主熱發溫瘧吐痰行水 葉曰蜀漆 辛平 主瘧
及咳逆散火邪
蕪荑 辛散苦寒 燥濕殺蟲化食消積
石楠葉 去風利筋骨毛
竹葉 辛淡甘寒 除上焦煩熱消痰止渴
馬刀 微辛 破石淋
白前 甘微寒 瀉肺降氣下痰
芒消 苦寒鹹 潤燥軟堅蕩實滌胃熱人散瘀血
凝水石 治積聚煩滿

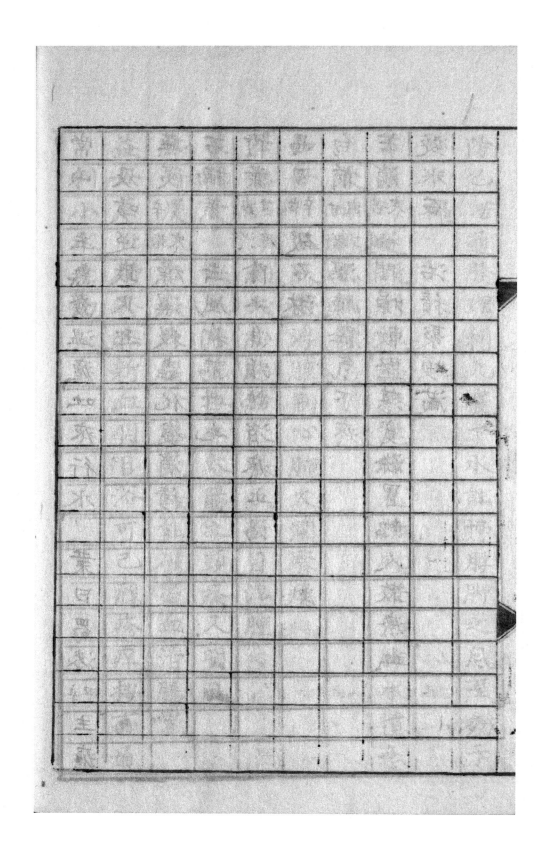

辛熱類 凡二十種

小懷香 散膀光冷疝之冲干心，又驅風利尿。

舶懷香 効勝乎小懷香，而艾能和柔拘攣。

良薑 煖胃散寒，治胃胱冷痛，又適寒吐逆之疴，更裨脾虛，寬噎膈，破冷癖，除瘴瘧，按能和胃中，進飲食，健消化。

益知子 開鬱結，使氣宣通，溫脾胃，進食，攝和餅，治遺尿。

草豆蔻 治胃中冷痛，健脾破氣，煉溼寒脹，能消，攻痎瘧之不已，隨胎。

白豆蔻　煖胃去冷痛化食寬膨行氣

仙茅扶衰火明目

牽牛　耑逐水氣除壅滞氣

附子　理六府沈寒浮而不降療三陽厥逆走而不
　滞又治跌蹷血瘕

烏頭　効同附子又除寒濕痺

草烏頭苦熱人辛熱尤厲不可軽投

皰麻大熱惟善吸而能收力能通而走竄散腫按下水
　飲惡液

曼陀羅花　令人麻痺且醉眠奪知覺研不和酒服

少許截瘧實亦同

酒　領百藥之長和血行氣壯神禦寒行藥勢

蜀椒　散寒補火煖胃殺蟲又逐骨節皮膚死肌寒濕淫痺

胡椒　煖胃快膈下氣消痰攻瘧能祛瘴厲之氣按強壯胃氣催食破氣驅風

蕃椒　強壯胃氣驅逐身體中之風氣能治肝病及水腫煮湯服水液利於大便又治痛風擣塗患處葉水漫可令飲惡液瀉下通聞番人煮實和萊菔生汁治痧症極驗云

樟腦　通竅利滯除濕殺蟲按走竄潛搜或主精捍

以痊諸般瘡敗治中毒是以眼目燉膧金創諸瘡頭痛湯泡火傷之屬並內服外用

白附子　去頭面遊風治寒溼邪傷入血分

呉茱萸　苦　温中解鬱通寒塞之咽喉閉胸中之冷閉

又發瘡疥之內攻緩寒疝之拘急

大風子　治疥癩殺蟲劫毒其油已癮疹沸瘡

巴豆　大熱　大燥大瀉開竅宣滯去藏府沈塞之癖積通

水穀之道路

豬牙皂莢　專利竅搐鼻立作噴嚏曰陽又主風痺

死肌。

肉桂　甘　驅下焦之寒濕，解筋攣，開腠理，亦為諸藥之先聘通使。

礜石　大熱　治堅癖痼疾。

砒石　劫枯瘡。

斑蝥　、傷膚肉，蝕死肌。肉用已猘狗咬傷。

葛上亭長　研末和醋或礬石傳痛風結毒，引水發泡而愈。又治疥癬錢癬雁瘡。

虎骨　微熱　去風，健筋骨，兼補陰之効。

冬柏灰汁　大熱冬柏斯云椿　熬煎灰汁可蝕惡肉，其力更烈。

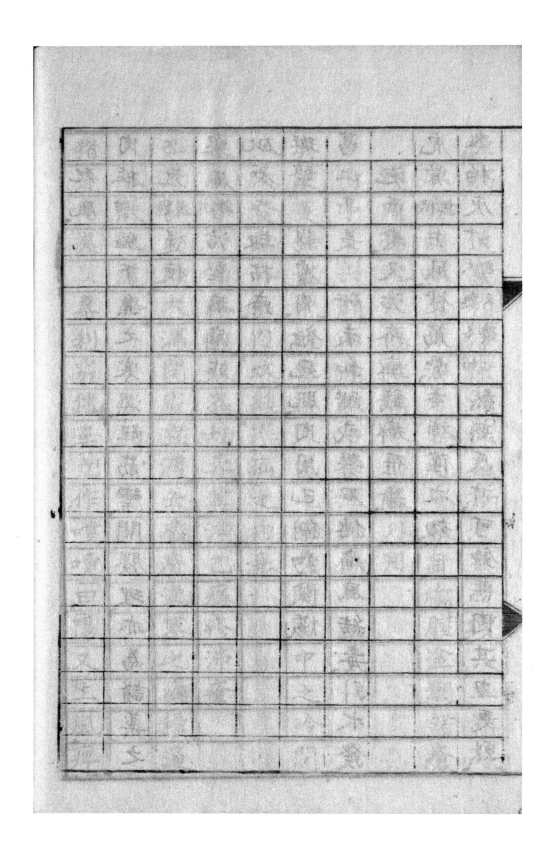

辛温類 凡九十六種

白芷 發表祛風散濕消癰排膿又治陽明頭痛已牙痛按治諸般中毒天行疫熱傳染諸疾及脾之閉塞胃之衰弱又酒服通月経

浮萍 祛身痒下水氣散温熱于皮膚或發汗

迷迭香 除悪氣鬼厲按強氣力壮記臆

蒔羅 茴下氣利膈子治小兒氣脹霍亂嘔逆腹冷不下兩肋痞滿按有消化堅硬和柔醋厲之効又能止諸痛

馬蓼 去腸中蛭蟲按能防金創及瘡腫之熱又痛

風在股者、並塗生汁、又或取莖葉及花、為糊劑貼之、為膏亦良、

水楊梅　主行瘡腫毒、根治胞脇痛胃脘痛及心肝衰弱者、又調変酒強男女陰部、

山奈　煖中辟惡、

天麻　主頭風治痰氣之肢掉、苗由赤箭辟蟲、

紫菀　散滞氣顯治血痰欬血、

白芥子　利氣開胃豁除皮裏膜外之寒痰按有消化飲食之効、外貼瘡癤呼毒引痛以發赤色、

胡荽　發痘疹通心腹之氣、快脾能散瘴、

芎藭　主中風入腦、頭寒痺、潤燥、理鬱氣、

細辛　寬百節拘攣、解少陰合治之首痛、在裏温中、

散三陽之風邪、又逐惡水、利留飲小便、

藁本　上行治風邪、連腦、又去風寒溼、

龍牙草　己肝藏閉塞、黄疸熱病、久不愈、又治尿血、

煮其葉和糖蜜頻服、

落花生　補脾潤肺解毒、或云効同櫻子、

香薷　散皮膚之蒸熱、利小便、

生薑　散寒、發表、調中、開痰、止嘔、

乾薑　開脾胃之寒結、散心肺之冷嗽、

蔘實　煖胃、進食、明目、按有消化分疏之効、

蕓薹　散血消腫、

穀精草　明目、退翳、能治心火相火之交扇、按能治鷹眼矇瞀之病、但此一種和餌飼之、

續隨子　行水、破血、解毒、下惡滯物、

煙草　行氣、辟寒、瀉下惡物、又除膈中之濁氣、吸煙吐陳納新、挼絞取生汁、滴入新舊金創、再貼其葉於創上、

木香　理氣、逆痰壅、行三焦氣、治一切氣痛、

蛇床子　散寒、祛風濕、

半夏　主咽喉腫痛、利水飲、下逆氣、和泄瀉惡心、掃
脾胃寒濕之疾、
大蒜、◆通竅、去寒濕、解暑、化肉食、利大便、止霍亂轉
筋、除吐瀉腕痛、按殺蟲之効、與阿魏無異、通竅之
用、蓋勝於麝香、
菥蓂子　主明目、目痛、
徐長卿　治疫疾、截温瘧、醒注舡、
排草　即穿心排草既出
防葵　主膀胱熱結不下、
水蘇　下氣、辟口臭、

羊躑躅　治惡毒諸痺、花已鼠咬、

女菀　治霍亂泄利、

蕺菜　清大腸之濕熱、煎莖葉爲膏、貼痔瘡、止痛、又揉、莖葉裹猥火傳瘡癧、

天蓼　治齒痛、

烏藥　快氣、順氣、散風、治血凝氣滯、

檀香　利胸膈、去邪惡、進食、強壯心肝、又治肺病、

杉木　散風毒、治脚氣、子殺蟲、節通淋閉、

丁香　攻冒口之寒疾、止心下之冷痛、治冷嗽、止泄利、油、熱、已寒症拘急不耐、極妙、

降真香　辟惡氣止血生肌

龍腦香　善走善散通諸竅滅鬱火逐心腹之實邪

搜骨髓之風濕

辛夷　解肌表之風濕能定頭眩

大腹皮　疎胎氣之有餘

乾漆　削年深之堅積殺三蟲療癲癇

莽草　除疝瘕通淋閉能醒濕熱

雄黃　解蟲螫殺蟲蝕利驚辟鬼辟疫

石灰　濇能堅物止金創血殺瘡虫蝕惡肉

伏龍肝　調中止血燥濕消腫

墨 止血燥濕

百草霜 斂血散瘀

蜈蚣 去風醮油年久而後去滓取清治腫毒

蟾酥 疏九竅發臭汗令病邪醉又痓小兒卒咳外

用治疔腫發脊

麝香 開經絡通諸竅透骨髓辟惡氣

螢火 治火瘡

淫羊藿 甘香 益氣強志

縮砂仁 香 和胃醒脾快氣通滯祛痰安胎

前胡 甘 解表下氣蕩風痰之痞結

萊菔　下氣、利膈、消痰、化穀、去膨脹、制麵毒、豆腐及諸積垢、按治結石腎痛、絞汁朝々頻服、吐劑、絞皮汁取和蜜醋飲服、服之、亦能利小水、通月經、理脚氣衝心、外用治眼目赤腫、齒牙動搖、齒齦腐爛、

神麯　開胃、化水穀、消積滯、

阿魏　消肉積、破癥瘕、辟惡氣、按能制百蟲、

桂枝　溫經、通脈、發汗、解肌、益陽、消陰、宣導諸藥、

栢子仁　潤腎、滋肝、主諸般血症、　葉同、

蠶砂　去風勝濕、

葱白　發表、通五藏之氣、治血、解毒、　實補中、按其淚

醮綿貼療止痛

藿香 香 和中開胃止嘔以助脾去惡氣進飲食按掃

胃中之水濕而治冷痛

防風 甘 主頭眩風邪骨節疼痺散頭目滯氣通小道

藿菜 香氣能走竄稀釋凝粘催月經掃滯氣

葛根 耑通經解肌開腠理退熱發汁生津止渴又

清暑除熱 粉能止渴調胃中

肉豆蔻 香 理脾煖胃消食專化肉積主走竄潛搜

石菖蒲 苦 九竅弘通開心孔胃口明耳目發音聲

羌活 驅肌表之濕風故和痺痛

延胡索行血中氣滯，治內外諸痛，又破癥瘕之結聚，止心腹之刺疼，又斂小兒之癇。

荊芥（苦香）苦溫散瘰，辛香辟邪，而下瘀血，除濕痺，清頭目，通利血液，治下血血暈。

莪茂破氣中之血，而導結積滯經，又消痃癖。

陳橘皮調中，快膈導滯，消痰理氣燥濕。

青橘皮行血積，散氣滯。

麻黃（苦）發表出汗，即去營肉之寒邪，泄衛中之風熱，又治欬喘。

破故紙（苦溫火）煖丹田，壯元陽，縮小便，利婦人之血氣。

益男子之髓精又微下痰飲

紅藍花 甘 破瘀血通行滯血

獨活 苦 理伏風去濕能行血分能歛能舒

天南星 苦燥 主風痰勝濕破結散血

五加皮 苦 主疝氣腹痛袪風濕壯筋骨

薤 金瘡瘡散利胸膈助陽泄滯煮之則甘滑溫脾

和大腸

醶 苦澁 消食磨積去垢除痰

杏仁 苦甘 下氣行痰潤燥清血又已猘狗咬傷為泥敷

之而灼艾又痊亀午為末和酒以傳其清

郁李 下氣破血、利小水之道、

皂角 鹹 搜風泄熱、通關、吐痰涎、搐鼻噴嚏而碎邪惡氣、莢主風痺、除咳嗽、破喉痺、通關節、又可貼腫痛、

威靈仙 行氣、祛風、宣五藏、

香櫞 香酸 下氣、除心頭之粘痰、治心下之氣痛、按煖胃之寒冷、除氣之臭穢、又醒火疝之熱、掃胃中之滯、其汁尤良、

蜚蠊 鹹 逐下血、

蠍 甘 治火瘡傷熱氣、

二色柏 苦 通經水閉塞、清利汚濁、

雁翅柏 蒸而取精、治痛風、又取油塗之亦良、

紫蘇 香散 發汗、利氣、和血、專治四時之感冒、

辛凉類 凡六種

薄荷 消散風熱、清利頭目、治咽喉口齒諸病、亦可發汗於頭腦、

油、香火溫 祛胃中之鬱氣、冷痰自消、

芙蓉花 凉血、解毒、散熱、止痛、排濃、

輕粉 殺蟲、刼痰、消積、治瘡、從喉管出邪鬱、

玄明粉 微甘 瀉熱、軟堅、潤燥、破結、消腫、明目、清腸胃、蕩宿垢、

蝦蟇 退煩熱、治骨蒸、殺疳蟲、

蜜陀僧 鹹 墜痰、鎮驚、散腫

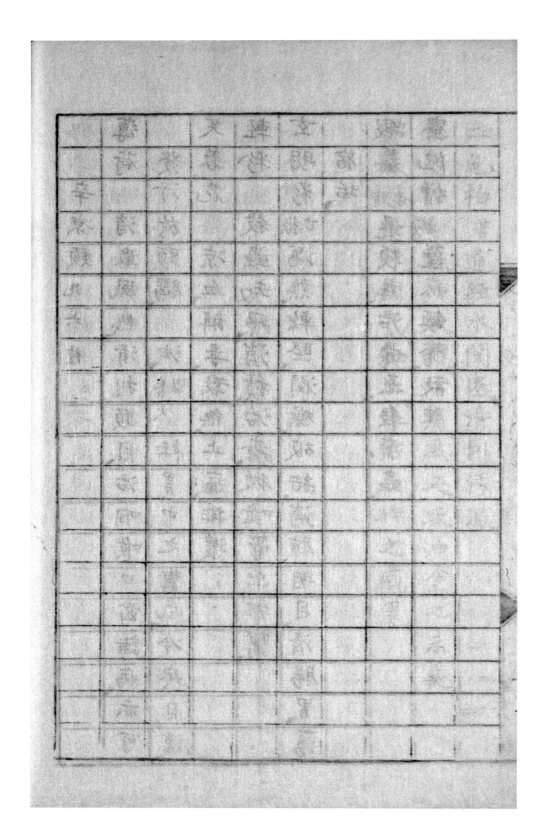

辛平類 九九種

馬蘭 根葉俱破宿血養新血治諸般血症消熱腫

芸香 掃天行疫疾性走竄透截主辟邪惡氣

卷栢 破血通經炙用辛温止血

馬勃 清肺解熱散血治喉痺

雲實 治泄利

金 鎮心肝定驚氣

鐵 重墜鎮心定驚療狂其鏽已疥癬

自然銅 主折傷續筋骨

牛房子 解熱潤肝消痘毒有達表潤燥之勛

終

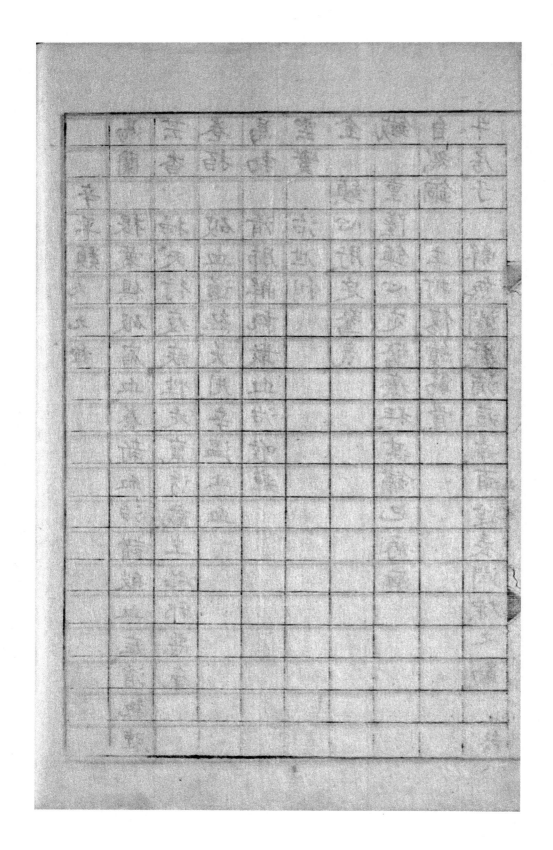

特1
228

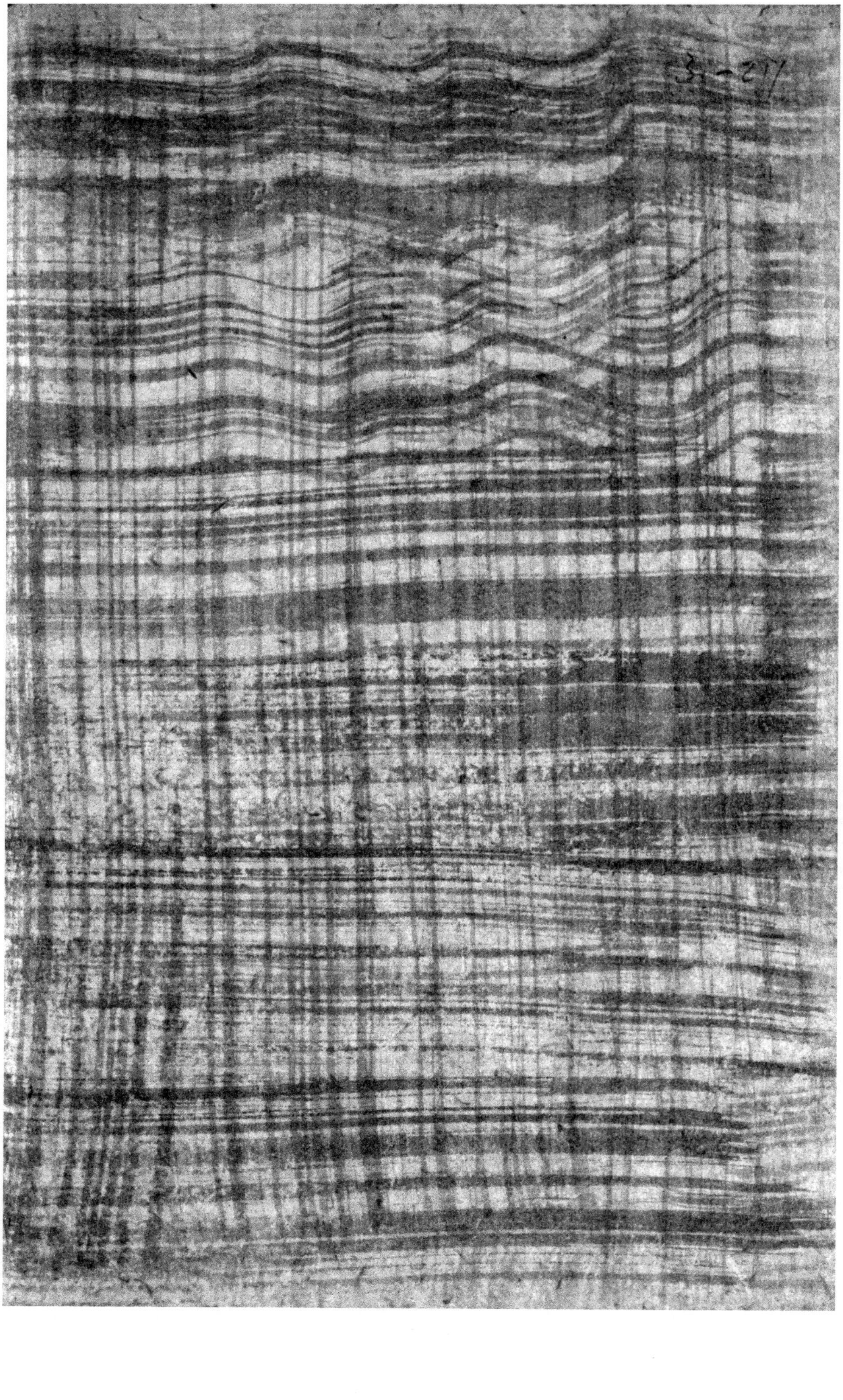

特1
228

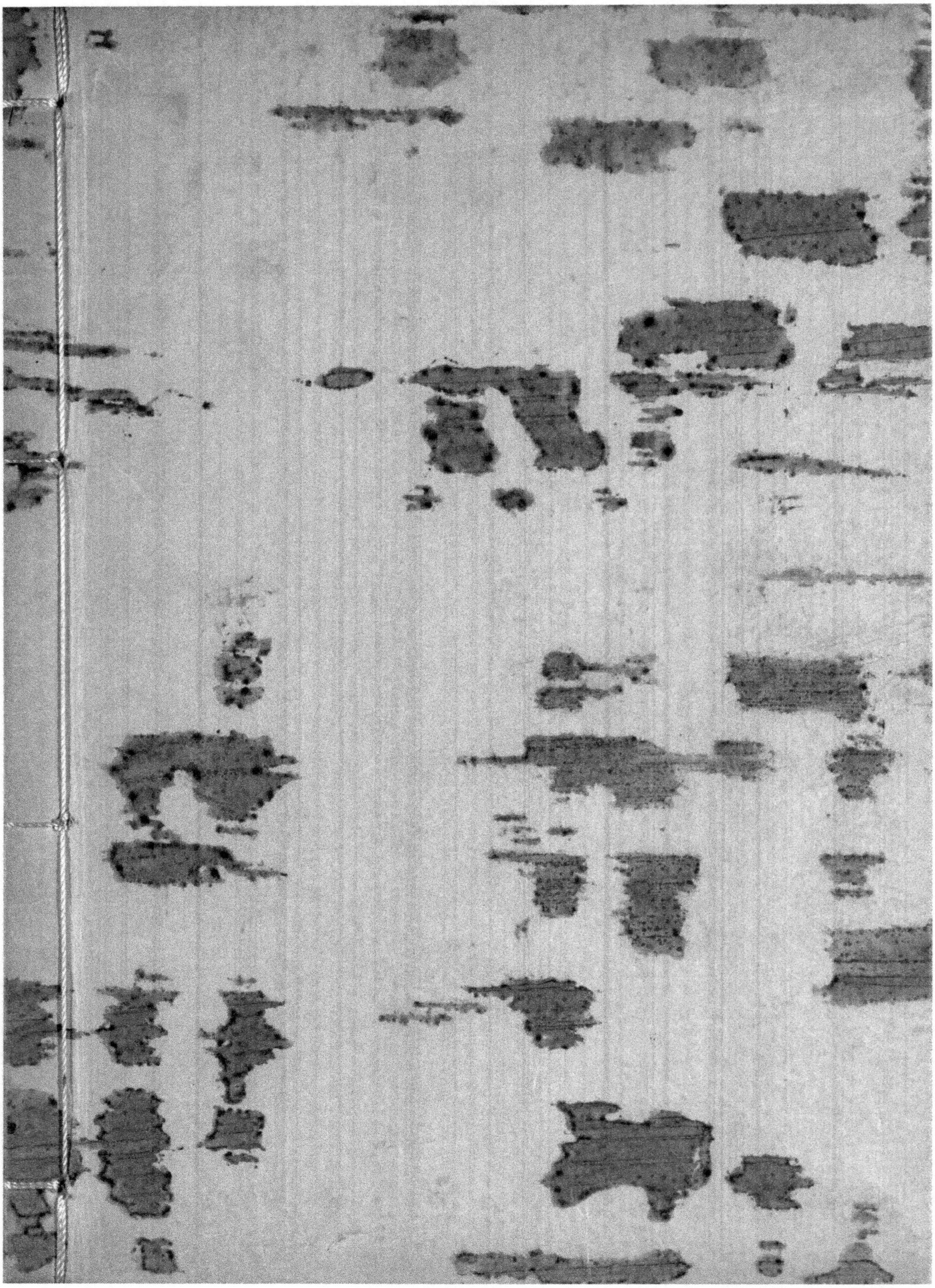

海外漢文古醫籍精選叢書・第三輯

本草古義

〔日〕岡村尚謙　撰

内容提要

《本草古義》是日本江户時代後期本草學家岡村尚謙編撰的本草學著作，約成書於天保年間（一八三〇—一八四四）。全書共計載藥二百七十一種，以《神農本草經》三品分類法排列。本書具有藥物記載來源廣泛、重視漢和名稱考證、注重藥物本邦産地與質量鑒别等學術特點，對日本本草學的發展産生了一定影響。

一 作者與成書

《本草古義》卷首書名之下題有「岡村遜尚謙著」字樣，書末朱字跋文同樣注明此書爲「岡村尚謙著」。由此可知，本書作者爲岡村尚謙。

岡村尚謙（？—一八三七），名遜，字尚謙，號桂園，日本江户時代後期的醫家、本草學家，爲總高岡藩（今屬日本千葉縣）的藩醫，侍於藩主井上正瀧。文化十四年（一八一七），岡村尚謙入於著名本草學家岩崎灌園之門學習本草學，與岩崎灌園一起協助屋代弘賢完成了《古今要覽稿》「物産説」部分的編纂。文政十一年（一八二八），岡村尚謙開始撰著《桂園竹譜》一書，參考衆多古籍，考證了四十餘種竹子的漢和名稱，并論評諸説。岡村尚謙不拘泥於舊説，在學術上每每有所創新，本欲將其對古代本草學的研究心得撰成《本草古義》一書，惜尚未完成而病逝，此書最終經其子岡村元亮之手得以完成。除《本草古義》外，岡村尚謙的著作還有《秋七草考》《竹譜總論》《桂園橘譜》幾種。

二　主要内容

《本草古義》不分卷，共載有二百七十一種藥物。雖然岡村尚謙未在書中注明其分類的方式，但經筆者對比後發現，《本草古義》所載藥物，實爲按照《神農本草經》的方式，以上、中、下三品分類并排序，各品之中又依次按玉石、草、木、獸的順序列述。

上品共一百一十八種。其中上品玉石類十八種，載丹砂、雲母、玉屑、石鐘乳、涅石、消石、朴消、滑石等；上品草類七十三種，含昌蒲、鞠華、人參、天門冬、甘草、乾地黄、术、菟絲子、牛膝、茺蔚子等；上品木類十九種，有牡桂、菌桂、松脂、槐實、枸杞、柏實、伏苓、榆皮、酸棗、檗木、乾漆、五加皮、蔓荆實等；上品獸類八種，收髮髲、龍骨、麝香、牛黄、熊、白膠、阿膠等。

中品計七十八種。中品玉石類十四種，録雄黄、石流黄、雌黄、水銀、石膏、慈石、凝水石、陽起石、孔公孽、殷孽、鐵精等；中品草類四十六種，載乾薑、枲耳、葛根、栝樓、苦參、當歸、麻黄、通草、芍藥、蠡實、瞿麥、玄參、秦艽、百合、知母、貝母等；中品木類十七種，含桑、竹葉、吴茱萸、梔子、蕪夷、枳實、厚朴、秦皮、秦椒、山茱萸、紫葳、猪苓等；中品獸類一種，爲羚羊角。

下品有七十五種。下品玉石類九種，收石灰、礜石、鉛丹、錫、代赭等；下品草類四十七種，録附子、烏頭、天雄、半夏、虎掌、鳶尾、大黄、亭歷（葶藶）、桔梗、莨蕩（菪）子、草蒿、旋覆花、藜蘆、鈎吻、射干、蛇含、恒山、蜀漆等；下品木類十九種，含芫花、巴豆、蜀椒、皂莢、柳花、楝實、郁李仁、莽草、雷丸、桐葉等。

除上述二百七十一種藥物外，上品玉石類中還記載了一種名爲「青盲」的疾病，云：「青盲，順《鈔》曰：阿岐之比。《巢源》云：眼本無异，瞳子分明，但不見物也。玄盅子曰：音與真通。」

在每條藥物中，岡村尚謙依次介紹了藥品的漢名、和訓、産地、基原以及植物性狀，部分藥品還記載了性味、毒性、功效以及炮製方法等内容。

三　特色與價值

中國本草著作傳入日本之後，由於漢籍中記載的藥物名稱與日本本土藥物名稱存在不一致的現象，故日本醫家往往難以將中國古籍中記載的藥物與和産物種相互對應，這時考證藥物的漢和名稱就成爲日本醫家、本草學家需要面對的現實問題。岡村尚謙編撰《本草古義》一書，廣引諸家著作中的相關内容，全面、系統地梳理了多種藥物的漢名及和訓，并將它們一一對應，使讀者能够迅速掌握藥物的漢和名稱。此外，作者同樣重視對藥物本邦産地以及質量鑒别的考證，并引用多種日本本草著作進行論述。

（一）引述來源豐富

在編撰《本草古義》的過程中，岡村尚謙徵引了多種來自中國、日本的醫學及非醫學文獻，并在每條引文前以小字注明所引文獻的來源。

岡村尚謙參考的中國醫學類文獻包括宋·唐慎微所著《證類本草》、寇宗奭《本草衍義》、王繼先等《紹興校定經史證類備急本草》，明·朱橚《救荒本草》、李時珍《本草綱目》、李中立《本草原始》等本草類文獻；唐·孫思邈《備急千金要方》，宋·王懷隱《太平聖惠方》、許叔微《普濟本事方》、王璆《是齋百一選方》，明·朱橚《普濟方》等方書類文獻；東漢·張仲景《傷寒論》、《金匱要略》等傷寒金匱類文獻；《黄帝内經》等醫經類文獻；隋·巢元方《諸病源候論》等基礎類文獻；明·虞摶《醫學正傳》、龔廷賢《萬病回春》、李梴《醫學入門》等臨證綜合類文獻。此外，另有《春秋》《詩經》《左傳》《爾雅》，戰國·吕不韋《吕氏春秋》，漢·司馬遷《史記》、許慎《説文解字》，三國魏·張揖《廣雅》，晋·張華《博物志》，宋·李石《續博物志》、沈括《夢溪筆談》，元·周密《武林舊事記》，明·張自烈《正字通》等非醫學類文獻。

岡村尚謙引用的日本醫學類文獻包括深根輔仁《本草和名》、曲直瀨道三《藥性能毒》、丹波康賴《本草類編選日本敕號記》（即《康賴本草》）、林羅山《多識編》、貝原益軒《大和本草》等本草類文獻；安倍真直《大同類聚方》、丹波康賴《醫心方》、梶原性全《覆載萬安方》等醫方類文獻。此外，尚有舍人親王等《日本書紀》、大伴家持等《萬葉集》、菅野真道《續日本紀》、藤原時平等《延喜式》、由紀貫之等《古今和歌集》、昌住《新撰字鏡》、源順《和名類聚鈔》等非醫學類文獻。

總之，岡村尚謙對藥物漢名、和訓的記載，主要依據的是中日兩國的多種辭書；對藥物産地、性狀、性味、毒性、功效和炮製方法等内容的記載，則多摘選自中國本草古籍。

（二）重視漢和名稱考證

中國本草古籍傳入日本之後，由於語言的差异，很多藥物存在「一物多名」「一名多物」的現象。因此，日本學者往往難以將漢籍記載的藥物與日本本土所産藥物兩相對應，給日本人學習中國藥學知識造成了較大的障礙。爲了解决這一問題，日本本草學家開始在其著作中標注藥物的漢和名稱，如深根輔仁《本草和名》、神田玄泉《本草圖翼》等本草書籍，均在藥物漢名之後注明其和訓（用漢字表達的日語名稱）。岡村尚謙廣采諸家所述，對藥物的漢和名稱進行了全面系統的梳理與考證，有助於讀者快速掌握藥物的漢名及和訓，進而較好地理解中國藥學著作中的理論與實踐知識。

在編纂本書的過程中，岡村尚謙每録一藥，必在漢名之下注出其和訓及出處。如「丹砂……邦言邇《和名鈔》，一名邇須奈《大同類聚》」；「雲母，岐岐良《本草和名》，岐良以之《大同類聚》」；「石鐘乳，以之乃知《本草和名》」。若同一物種在不同古籍中的記載有异，也一并列出，方便讀者進一步查證。如「白英，保吕之《新鈔本草》《和名鈔》吕作曾」；「前胡，宇多奈《新鈔本草》《醫心方》案茈胡云阿加奈。蓋音通也」。此外，岡村尚謙還記載了部分藥物的日本俗名。如「麥門冬，也末須介《萬葉集》，一種俗呼也布良牟」；「决明子，衣比須久佐《延喜式》《新鈔本草》《和名鈔》并同，俗名伊太知佐佐介，一名波夫草」。

關於部分藥物的和訓存在「聲轉」這種情况，岡村尚謙同樣也有所提及。如「吴茱萸……古爾須伊《新撰字鏡》，即吴茱萸之轉聲」；「决明子……一名波夫草波夫即友鼻之轉。薩摩土人用此解蛇毒，與時珍引相感志合」。可見，岡村尚謙對藥物和訓的考證非常仔細、全面。

岡村尚謙關於藥物和訓的記載，主要取自《萬葉集》《古今和歌集》《本草和名》《新撰字鏡》《和名類聚鈔》《本草類編選日本敕號記》等幾種，尤以引自成書於平安時代初期深根輔仁的《本草和名》者爲多。該書主要是在中國唐代《新修本草》的基礎上編寫而成，收録了一千零二十五種藥物并附注了异名、出處、和訓、産地，岡村尚謙在其著作中大量引用了《本草和名》的這些資料，極大地豐富了藥物异名及和訓的内容。

除了對藥物和訓進行詳細的考證，岡村尚謙還論述了部分藥物漢名的别稱、讀音及訓詁，并嘗試將藥物的不同和漢名稱進行對照。如「白石英，《和名鈔》美豆止留太萬，俗名劍舍利，陸奥方言；山乃神，乃多賀稱。即水精也。《廣雅》：水精，一名石英、石藥」。此外，岡村尚謙還通過對字形的考證來辨析藥物的不同品種。如他提到對柴胡和前胡的分辨：「茈胡、前胡，原是一物。故古本草有茈無前。陶惑字之异，分爲兩種，而後歷代諸家皆守其説，遂無知爲一物者。《外臺秘要》胡洽大小前胡湯，即《傷寒論》大小茈胡湯。茈、前一聲緩急之意，隨風土也。茈又讀若偲。䚡，《説文》：偲，從人，思聲。䚡，從角，思聲。柴，從木，此聲。」岡村尚謙對藥物漢名的記載及考證，多引自《廣雅》《説文解字》等中國辭書，且很有可能轉引自《和名類聚鈔》《本草和名》等日本著作。

（三）注重藥物本邦産地與質量鑒别

由於中日藥物産地不同，同一種藥物的性狀及質量也會存在一定差异，這就給日本醫家、本草學家對本邦藥物的考證及運用造成了一定困難。岡村尚謙在考證藥物漢和名稱的同時，同樣關注日本本土藥材的產地及質量問題。《本草古義》參考了多種日本文獻，對藥物的本邦產地進行了全面的梳理。如「雲母……邦產有五色，入藥白色，光瑩如水經者佳。《續記》：元明天皇和銅六年，令大和、三河、陸奧并獻雲母。《醫心方》云：雲母出近江、陸奧，今大和添上郡、三河吉良」「牛膝……田野、崖塘極多」。

此外，岡村尚謙還引用多種古籍，將不同產地的藥物進行比較，對不同產地藥物的性狀、質量進行了系統的論述，指出何種產地的藥材質量更佳，令讀者對本邦所產藥材有更加清晰的認識。如「乾地黃……出大和高市郡地黃村。根長五六寸，大如手指爲上。山城國富野長池產稍細，入藥通用」「术……《延喜式》：所貢三十三州，今諸州多生，而古人咏歌……則白花爲上。又有紅花者，今飛鳥山道灌山等近郊之地與武藏野相連，宜自掘采以入藥」「鞠華……近郊田野極多。純黃、單瓣，月令九月，黃花豈園圃之物哉？宜自收爲藥。其園圃者，花有黃白紅紫，品類殆千餘，皆不堪爲藥」。

岡村尚謙對藥物本邦產地、植物性狀以及藥材質量鑒別的描述，多來自《本草和名》《大同類聚方》《醫心方》《續日本紀》《延喜式》等日本文獻，且加之以個人的考證分析。

（四）采用《本經》三品分類方式

儘管岡村尚謙并没有明確指出《本草古義》的藥品分類方式，但將本書所載藥物排列次序與中國本草古籍進行對比後可以看出，書中藥物采用了《神農本草經》上、中、下三品的分類方式及編排次序。各品之中又進一步分爲四個小類，按照玉石、草、木、獸類的順序依次列出，但未收載《神農本草經》果、米穀、菜、蟲魚四類的内容。

雖然《神農本草經》一書早已亡佚，但其佚文尚可見於《證類本草》《本草綱目》等本草古籍。筆者將《本草古義》與此二書進行對比，發現《本草古義》的藥物編排次序與《證類本草》所引《神農本草經》的藥物排列順序更爲接近。因此，《本草古義》的分類體系，更有可能來源於《證類本草》對《神農本草經》分類方式的引用。

四　版本情况

《本草古義》約成書於日本天保年間（一八三〇—一八四四），小曾户洋《日本漢方典籍辭典》稱全書共三卷，❶但筆者所見鈔本并未分卷。本書未經正式刊行，僅有數種鈔本傳存。據日本《國書總目録》的記載，岡村元亮手稿本現藏於無窮會神習文庫，其餘幾種鈔本分别收藏於日本國立國會圖書館伊藤文庫、國立國會圖書館白井文庫、國會圖書館支部東洋文庫岩崎文庫、東京國立博物館等處。❷

本次影印采用的底本，爲日本國立國會圖書館伊藤文庫所藏鈔本。此本藏書號「特7—501」，不分卷一册，封皮處貼有上述藏書號。書首無序，無界格欄綫，版心、魚尾。每半葉十一行，每行字數不等，二十五至三十字。封皮内葉有伊藤篤太郎朱書跋文，記述了此本的來歷。伊藤篤太郎稱，此本是

---

❶〔日〕小曾户洋原著，郭秀梅譯．日本漢方典籍辭典[M]．北京：學苑出版社，二〇〇八：五四．

❷〔日〕國書研究室．國書總目録：第七卷[M]．東京：岩波書店，一九七七：三八七．

明治十五年（一八八二）四月十六日在爲伊藤圭介祝壽時，由曲直瀨愛所贈。跋文之末落款「昭和十四年（一九三九）十月追記，伊藤篤太郎」。書中部分葉面有朱筆點讀的痕迹，另有一處朱字眉批，批注旁貼有一枚標簽，稱「頭書朱字　小森賴信氏自筆」。

綜上，《本草古義》是日本江户時代重要的本草學著作之一。全書徵引内容廣泛，涉及數十種中日醫學以及非醫學古籍。書中注重對漢和名稱的考證，解決了中日本草文獻中存在的部分「一物多名」「一名多物」及漢和對照等問題。尤其是關於日本本土藥材産地及質量鑒别的整理與論述，對日本醫家、本草學家對照中國本草古籍辨識本土藥材，進一步學習、研究本草學具有一定的借鑒意義。

付　璐　蕭永芝

本草古義
特 7
501

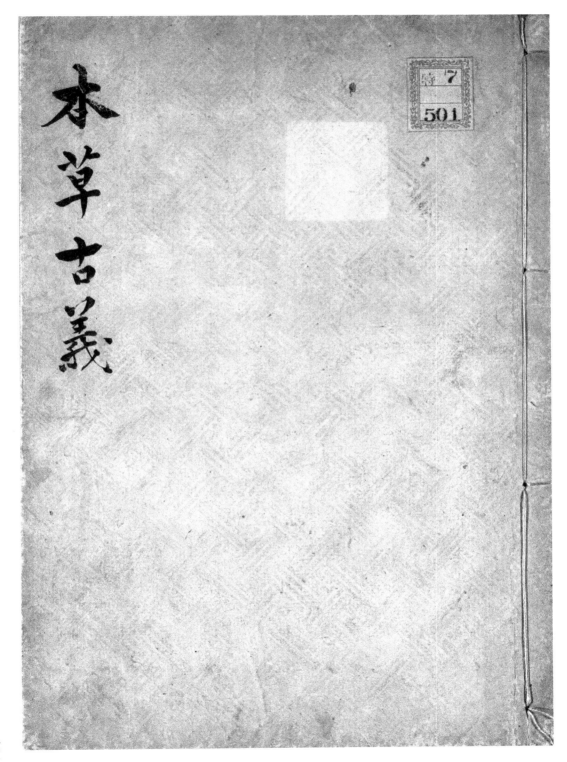

本草古義

岡村遜尚謙著　男爕憲元亮筆記

丹砂　史記貨殖傳字亦从水邦言迩和名抄一名迩須奈大同類聚此邦有二種曰塊砂曰末砂其塊砂出陸奥南部郡気仙郡世田郡米村及仙臺等末砂即丹粟出大和芳野郡豊前下毛郡入藥俱佳續日本紀文武天皇二年令伊勢常陸備前伊豫日向獻朱砂即丹砂非朱也新修本草丹砂出伊勢今飯高郡丹生村亦出之安魂魄百一選方帰神丹之類明目普濟方辰砂一塊日々擦之之類精魅邪惡鬼雄黄條云精物惡鬼邪気病源候論具載其狀矣能化為汞者水銀元自然之物言丹亦能出水銀也韓類引廣雅曰水銀謂之澒丹竈家名汞也武陵秦之黔中郡古之荊州禹貢厥貢砮丹之地也

陶注符陵是涪州接巴郡南東坡志林甬朱道士客於涪州愛其所產丹沙雖瑣細而皆矢鏃狀瑩徹不雜土石遂止煉丹數年本草言出符陵谷間熟於涪者云採藥時復得之但時方貴辰錦砂故不甚採弘景時未有辰沙之目故稱巴沙圖經云辰州即武陵也陶注末沙南都賦山海經謂之丹粟者郭璞注細如粟是也火井見謝惠連雪賦也蘇頌注形如芙蓉者唐李德裕黃冶論云光明砂者天地自然之寶在石室之間生雪床之上如初生芙蓉紅苞未拆細者環拱大者處中是也蘇頌注又云末之名真朱謬豈有一物而以全末為殊名真朱見金匱要略赤丸條古來混丹與朱宣為丹是辰砂朱是銀朱也千金方凡例求真朱者不知朱沙之為末多以水銀朱充用是為別錄所誤也續日本記文武天皇二年九月乙酉豊後国献真朱豊後風土記丹生

郷在郡西、昔人取此山沙謂朱沙、因曰丹生郷。開郡西北有久所（クジヨ）村、地名赤迫（アカサコ）出、蓋此處也。丹之與朱古來混同、堯子丹朱從類而名。孔安国注禹貢云丹朱類、所謂豐後產、恐是丹而非朱也。

雲母　岐々良　本草和名　岐良以之　大同類聚　邦產有五色、入藥白色光瑩如水精者佳。續紀元明天皇和銅六年令大和、三河、陸奥並獻雲母。医王方云雲母出近江、陸奥。今大和添上郡、三河吉良莊、近江田上、陸奥福島及二本松、周防岩国等產皆好。安藝、讚岐、紀伊、河内、阿波、甲斐、信濃等次之。死肌猶不仁。雷公炮製作身表死肌。名医云堅肌是也。已堅生肌、則令其死肌不朽可知也。如在車船上言目眩也。五勞七傷之目及此剤、方見翼方。陶注並好服而　當作餌

玉泉　玉屑　玉札　泉屑札一音之轉也。進學解注玉札玉屑也。孫星衍以

札為桃却恐桃是札之誤玉邦言多麻日本紀士良多麻須抄長久華胱鍛字白玉札如白頭公文義不通陶注玉屑云潔白如豬膏叩之鳴者真也叩而有声見礼記経解今漢船載來者叩而無声則非真玉也上古有絞纓　王對馬州住吉神社所藏者雖質非玉神代之遺物也郭義恭廣志倭国出青玉詩曰至蒼葱珩呂覽蒼璧明一統志藍田秦縣名周礼玉之次美者曰藍此縣出玉故以名縣　其蒼可知也

石鍾乳　以之乃知本草和名　三代實録貞觀元年十二月詔遣典藥頭從五位上出雲朝臣峯嗣於備中国採石鍾乳和名云出備中国英賀郡今見其郡產弘景所謂輕薄如鵝翎管碎之如爪甲者玲瓏透明古人以此為上故承之也其最巨者下野出流山近江佐目村洞穴中者

何曾二三尺蘇敬不知遂以陶為謬矣咳逆上氣〻病源候論咳嗽而
氣逆也千金方凡例云古之經方言多雅奧以喘嗽為咳逆是也丹
溪所謂欬逆即呃逆與此異下乳方亦見外臺祕要复石之复蓋
與蕧音通也唐本草增出石花石牀當與本藥為一類玄盅字云
鍾字公孔空字音通言中虛也呉普說陰乾二字恐衍石質之
物何畏白氣

涅石　即礬石如波奈美新撰字鏡涅石順抄度布須大同類聚邦產最好凡溫
泉涌出之地皆有之續記文武天皇二年近江獻白礬石元明天皇
和銅六年令曰自今以後之貢相摸石流黃白礬黃礬美濃青礬
大同類聚方青礬邦名阿保度須　飛彈若狹並礬石出雲黃礬讃岐白礬醫心方
云礬石出飛彈又出肥後國阿蘇神社延喜式飛彈長門貢白礬

今詳近江赤甫出此物相模箱根及若州讃州飛州皆出之其他
陸奥平泉及同伊郡久石村山中豊後速水郡伊豆那加郡志多亩出
中長門備前上野下野信濃諸州亦出之仙臺當出一種青黒色
如狸𦕅粉者碎之淋汁煎熬成礬石說文無礬字故孫改為涅
延喜式典藥寮飛彈國白礬石二斗一升長門國白礬石三斤
伊豆國黄礬石二斤一兩長生療養方亦用礬字古本必不从
石後人合二字作礬至與礬石相混其誤人也大矣其礬字當
从火非从大也礬之石而造故謂之礬石也礬其省文也一種有不
待礬而自然成者甲斐高麗郡大野村産者白色明徹如凝
氷石也物類品隲云唐山有紅色者本草不載與綠礬煆称絳
礬者殊矣白沃金匱有礬石丸陰蝕瘡見医學入門本文所

云恐今之下疳也悪創目痛之治今外科眼科皆用之證類無筋
字岐伯下有云字
消石　烏銃所用焔消也生田舎古屋深山舊堂不受雨露之処凝
白如霜又有方塊者掃取煎煉而成之新抄本草曰出讃岐国今
亦如之其他加賀越中下野武蔵者勝筑前豊後伊勢佐渡遠
江者少我邦冬月為盛隴西西羌想是四時有之地有南北不得
一齊論之時珍曰味辛　苦微鹹気大温本経云寒別録大寒正似
與龍脳性寒之誤相似也一名芒消馬志曰初煎錬時有細芒故有
芒消之號與後芒消全別天工開物消質與塩同大地之下潮気
蒸成現于地面近水而土薄者成塩近山而土厚者成消物理小識
小溲蝕土物久者可煉取消則消乃鹹気所成允五更掃潔地皆

可取消而偃墻邉為易取耳中通云火消是煎墻側土而成者也非別出芒消條是龍叟蘇敬者芒消有二欲強為一故有此說

朴消　俗名河良恵牟世宇一名灰様塩消延喜式載讃岐備後備中貢之医心方云朴消出信濃若狹備中今産伊豆国田上郡温泉之地狀似赤塩盖潮脉之發生者四時皆有寒時為盛所云生益州山谷醎水之陽採無時者是也一種有出瀕海之地者煎錬試之性味與山生同下總行德武州大師河原者是也宗以降諸家不知山生以此物充本藥雖品可通用未為允也朴與樸同未鍊之義言生消也馬志之說為得又云以水淋煎錬而成朴消此朴字當作芒不然與宗奭未経再煉不異前後相悖時珍以為煎錬入盆凝結在下粗朴者亦誤矣大觀證類所圖如雞卵者三箇皆円扁

而似有尖角非天然物必経一煎而為塊也宜刮取地霜一煎名之
消石也開宝本草初載生消即朴消之重出也古云生山谷開宝云
生消生西山巖石間古云色青白開宝云塊大小不定色青白古云
味苦寒採無時畏麦句薑開宝同之可知同物也故註類列之於
朴消後而不在消石之條時珍襲南医之説以生字為錬過生
出之義妄矣續日本記光仁天皇元年六月遣從五位羽栗臣
翼於難波令錬朴消言錬朴作芒也蓋難波水土堪錬芒消故
至今傳其製法以為芒消弥留之四方別録云芒消味辛苦大寒
五臓積聚久熱胃閉除邪気破留血腹中痰実結搏通経脉
利大小便及月水破五淋推陳致新生於朴消俗名乃岐恵乎世
宇 薬性部毒 仁恵乎世宇 同上

滑石　俗名ハ水山石地在備前延喜式載但馬周防貢之新抄本草
出紀伊國今出越前大隅陸奥會津他佐渡石見駿河上野等有紅
赤紫蒼諸色入藥正白軟滑嚙之無土臭者良周礼以滑養
竅注滑石也乳難者産難也見倉公傳徐靈胎爲乳汁非也淋
癃通音王應麟地理通釋十道攷林慮本隆慮殤帝改爲林慮
門宣明五氣篇膀胱不利爲癃是也医學正傳作淋石其石當
作共石蘇注出掖縣者青白黑點蘇頌云萊濠州謂之班石俗
所謂蒲萄石駿河產爲上掖液番班假借通用則一名液石番石
是其石歟

石膽　注家與膽礬若混來爲穩當藥性要略石膽生大石中石子内
大小不等殼如餘糧石汁如雞子黃其色略淡帶黑舊以石　膽

為空青誤也蓋石膽殼青黄不一而空青蒼翠石膽大而空
青小固非一類也此所説是石中黄子之屬雖其物不可知可以為
石膽々名不一之証新抄本草石膽出備中国今無復採者又云膽
礬處々銅坑中有之形類石英而大小不一蓋大同類聚方所謂美
度利以之也今出羽秋田下野足尾等極多蘇模注出銅處有形似曾
青兼緑相間味極酸苦磨鐵作銅色是也陶注色似瑠璃者乃
絳礬比来亦用絳礬為石膽二絳字當作緑々礬條蘇模文云
新出窟未見風者正如琉璃色人以為石膽燒之赤色故名絳礬
空青　即金青之腹空者　新抄本草空青一名金精注云上者言空
青之最上也出稽疑和名抄引秘旨疑精作青前人以金青充之
而不言腹之空否若腹不空則不得為空青也医心方云空青

唐又出近江滋賀郡今無復採者 或云對馬長門越後等州有之
一種石緑而腹空者藏器所謂空緑也

青盲 順抄云阿岐之比 巣源云眼本無異瞳子分明但不見物也文盅
子云音與直通

曾青 萬病回春即膽與本説異今諸州出銅處有之時珍曰音層
形似黃連相綴又如蚯蚓屎方稜色深如波斯青黛層々而生打
之如金聲者為真又曰治目同空青庚辛玉冊云點化以曾青為
上空青次之又曰扁鵲治積聚留飲有曾青丸見古今録驗荀
子正論黃金充椁加之以丹矸重之以曾青此是青玉之類

禹餘糧 讃岐方言伊之奈多牟古最異見出紀州境浦海濵者形如
鵝鴨卵石中有黃土最為上品所謂出東海者是也 延喜式及

新抄本草出太宰府今諸州溪澗池澤多出之張潔古曰歛而
遺矢者赤石脂禹餘糧湯予嘗用之得效本文數道之地是辛
金羽翼載紫餘糧黃餘糧摘丹方鑑有五色餘糧不止白色必
竟係產地之土色也唐本草石中黃子圖經引抱朴子作石子中
黃則子即丸子散子餅子冊子之子宗奭為水字非斯邦餘糧
擬多而石中黃難得猶諸青中之空青石英之含水者也又
本事方石中黃円云方見家藏方及集驗方謂之禹餘糧円
然則石中黃是禹餘糧之一名也庚辛玉冊禹餘糧陰石也乇々
層疊深紫色中有黃土白石黃

太一餘糧　太一山名括地志云太一山一名泰山泰太通名医所謂生太
山者是也係產地於藥物赭之出代郡謂之代赭芎之出蜀川謂

之川芎同例藏器曰太署 理化神君禹之師下和言之言也俗名伊
波都保或都保以之或児乃都不 大和生駒岩者為上嘗聞此山
出餘糧之地周圍必有水気挼者觀其潤湿之多少而知餘糧之
大小潤少則糧極多潤多則小而之其色亦有白黄桃紅黒褐数
色嗅之無臭不嗲者為上與池澤所生殊無甄别凡入藥者池
澤者山谷者通用可也
白石英 和名抄美豆止留太萬俗名剣舍利陸奥方言山乃神
乃多賀称即水精也廣雅水精一名石英石藥甬雅白石英一
名水精可以見也医心方出近江太宰備中令近江羽栗山出之
續記和銅六年陸奥献白石英今金花山及南部等出之其
山城愛宕大和大峯摂津六甲上野妙義日向延岡其他諸州多

出之時珍曰倭国多水精

紫石英 俗名紫水精下野足尾道明寺山中出者呼為道明寺
新抄本草出伯耆今陸奥金花山摂津六甲山近江稲葉山越前
敦賀等出之留青日札云日本国有青水晶紅水晶為水晶

心腹下似脘痛字

五色石脂 青者山城稲荷山大和法隆寺畔出羽米澤等出之赤者
佐渡産為上方言石綿其他伊豆摂津大和山城紀伊美作出羽
等出之延喜式伊豆備後新抄本草大宰備後国証類本草
甘酸辛 按辛是平字之誤也唐本中品出桃花石亦赤石脂已傷
寒論桃花湯局方桃花円皆用赤石脂可以証也黄者肥前長
崎山里村肥後宇土郡出之和蘭人称毋宇利須阿留玄迹也為外

科之用與本文旅離疏合矣色如狏脳雁雛註類作鶯雛為是俗稱朝鮮鶯者 黄而帯利里故有黄鳥黄鸝之目邦俗呼為鶯者灰利黒色不可以喻黄石脂也白者俗稱阿布良於世之延喜式及新抄本草出伊豆今伊豆大加茂大和芳野佐渡長濱出羽秋田等出之黒者俗名黒土山城山科及天台山紀伊若山陸奥南部等出之一名石涅々泥声之緩急也

白青 即碧青也蘇注研之色白如碧謂之碧青蓋與別録碧青石異稱同質其色似石青而稍淡者 俗名具牟世字近時無本邦藥肆妄以石青之滓聊擬之

扁青 未詳以名言之則緑青之扁生者蘇注緑青云即扁青也然扁味甘緑味酸難以為一緑青出銅坑邦言阿乎仁醫心方一名笙

冬至之后七十五日即启蟄也何ゝ季春

ナラン

石樂家以塗笠黄者其種有二青白者出圖経黒緑者見衍義今西家上黒緑者新抄本草緑青出長門今亦有之其他摂津多田出羽阿仁下野足尾等出之又俗有呼奈良緑青者奈良人以醋塗銅器造之即銅青也

菖蒲 阿夜女久佐 鶴葉 曽宇武 古今集 字音之轉 即今之泥菖也呂氏春秋冬至之後七十五日菖始生與月令季春萍始生同文例今之石菖四時不枯安有始生乎周礼昌本左昌歜應非寸九節之物古方書單言菖蒲而無石字則非今之石菖也道家呼為水劔草因葉而得名今石菖無劔脊則不當得其名也蘓頌曰春生青葉長二尺許其葉有脊如劔無花實五月五日收之其根盤屈有節如馬鞭大是医家所用石菖蒲可

謂盡水斂草之形狀也但泥菖時有花實非全無也延喜式山城伊賀伊勢尾張播磨美作備前備後土佐貢之治耳聾見肘後方治癰瘡 見經驗方云治癲腫發背生昌蒲搗貼若瘡乾搗末以水調塗之孫用和方同陶注二種生石磧者即今之石菖大根者是泥菖也小鼈花當作鼇尾言花之似鼇尾也溪蓀世以為花阿也女恐非字彙蓀香草似石菖蒲而葉無脊 生溪澗中 玄盖子云本草之草兼水而言五行大義引黃帝甲乙經云草則茯苓甘桂志辛

鞠華 加波良於波岐 新抄本草 加波良與毛木 和名抄 俗名乃伎久一名阿布良伎久近郊田野極多純黃單瓣月令九月黃花豈園圃之物哉宜自收為藥其園圃者花有黃白 紅紫品類殆千

餘皆不堪為藥加波良之目其野生可知也延喜式甲斐近
江下野若狹阿波讃岐貢之藥肆所市多出河内金剛山武藏所
澤下總小中臺等亦不如自採之好也其園圃者其種初出於朝
鮮倭漢三才圖會云久々朝鮮語也上代有菊理媛又肥後菊
地郡上總菊麻郡皆呼為久々和韓同声也傳言仁徳天皇七十
五年異国始渡五色菊今無黒花建徳縣志王峯山楚廉有菊
小如錢黒色謂之黒菊蓋此類也歌詠用音不用訓者所詠則
海外傳来之花而非田野自生故也菊花即薏花抱朴子菊花
與薏花相似直以甘苦別之菊甘而薏苦陶注亦有此言然本文
明曰苦曰生田野非園生之甘物明矣頭眩用菊花酒法見聖
惠方目欲脱涙出今眼科多用之皮膚死肌金匱侯氏黒散菊

花為君

人參 久末乃以（新抄本草）加乃尓介佐（同上）尓己大（同上大同類聚作古多迩） 延喜式攝津伊勢甲斐陸奧若狹越前丹波美作伊豫大宰府貢之今紀伊之那智熊野大和之金峯葛城信濃之木曽松本戸隱伊豆之天城武藏之秩父等出之呼為直根其初生一莖三葉二三年後生兩椏五葉然有花實四五年後生三椏四椏五椏々心抽長莖開碎白花攢簇似五加花結子初青熟紅似相思子大小不等根如沙參黃白色味苦而甘式之所采蓋此物也又有竹節參蝌斗參莖葉與直根一樣只根異耳陶注一莖直上四五葉相對生花紫色與人參讚三椏五葉自為二種也椵樹東医宝鑑作檟云多生於深山中背陰近檟漆樹下溼潤處中心生一莖與桔梗相似三

四月開花秋後結子然則朝鮮国三椏五葉外有桔梗狀者也
陸羽茶経人参上者生上黨中者生新羅百濟下者生高麗澤
州易州幽州檀州者為藥无效然則蘇恭注所謂者陸羽品之於
下者也玄孟子云許六人参辨載在風俗文選医者宜一閲
天門冬 須末呂久佐 新抄本草 俗名須岐加豆良 春生苗大如釵股
漸々蔓延樹木葉似杉極尖細夏生碎白花其根一科二三十枚與
麦門冬之肥大者相類延喜式所出五州不復產之今紀伊之田邊
安藝之廣島伊豫之宇和島阿波之德島肥前之五島相模之七
里濵其他瀕海之地出之紹興本草圖所舉六種而本邦只有
其一且山生者至稀傳聞比叡山嘗生此草都下之人競採而終絶
云方言本草天門冬国產勝於唐

甘草 阿末伎 新抄本草 阿末久佐 大同類聚 医家皆資舶来上者出南京之
廬州山西之汾州赤皮断文堅實濃甘陶注枹罕相似又出福建
者麁大軽虚中心或帯黒又喝蘭及朝鮮来者皆不如南京山西
之良也本邦甲斐之山梨郡産之或云自生或云武田機山氏得種於唐
而殖之今官園所養者享保中阿部将翁自甲移来者葉似槐
而微小大花如小豆而淡紫色其根横行二三尺近時陸奥南部
摂津池田等栽之其根結緊狹小不如舶来之好也延喜式陸
奥出羽常陸貢之新抄本草出陸奥今不聞有之除日之事詳
見曆方通書玄盘子曰淮南子甘艸生肉與本文長肌肉合金匱
玉函経巻末有治羸瘦一物甘草方煄候見巢源通作瘇户
令義解以為足腫此字亦見詩之小雅甘艸解毒首出金匱才

矣暴乾十日成旋西復花仡二十日栝楼根云三十日成古人修製表本自有法故著日數也依郭注尒雅甘草似蔓草資服録甘草南方藤名敕號記志呂不知蓋者一種作藤蔓者也金匱方甘遂半夏湯云甘艸如指大然則古人不尚徑寸者也美草蜜草声之緩急也

乾地黄 佐手比女 延喜式 出大和高市郡地黄村根長五六寸大如手指為上山城国冨野長池産稍細入藥通用而可苗初生塌地似小艾葉而有皺文細毛抽莖高者一尺許低者三四寸莖頭開淡紅花似油麻花實如小麦粒矣別有呼千里駒者状似地黄冬不凋開紫紅花花為筒子様形如桐花根似地黄而堅不堪入藥或以為胡面莽不叶延喜式貢之八洲今不聞有之准南

子覧冝訓地黄主屬骨與本文折跌絶筋合　梅師方有隨損
瘥跌骨碎地黄擣罨之法千金方有損傷打撲瘀血在腹生
汁與酒煎服之法一名芑當作苄傳寫之誤也字彙苄與芐同
地黄也可以託藥性論忌三白　丹溪心法以為葱蒜蘿蔔也

朮

朮　乎計良又宇計良萬葉集　延喜式所貢三十三州今諸州多生而古人
詠歌特稱武藏野且依色逐出奈田米之句則白花為上又有紅花
者今飛鳥山道灌山等近郊之地與武藏野相連宜自掘移入
藥若過闕則坊間呼梵蒼朮者良又有嫩根白朮者即蒼朮
之嫩根白色者出備後之三原大和之三好伊豫之今治安藝之
廣島陸奧之仙臺等削去外皮米泔浸過者力稍劣夫古方
所用之朮皆蒼朮、本文已云味苦　陶云赤朮苦而多膏素門病能論馬注朮即蒼朮可以見也蘓頌曰古方所用皆白朮不知何據且誤讀爾雅以枹薊為山之一名爾雅曰朮山薊楊枹薊此辨薊有山薊楊枹薊之分而非謂枹薊即山薊也郭璞曰本草一名山薊今朮似薊而生山中又曰楊枹似薊而肥大今呼之馬薊其義明白蘓頌見爾雅椵木槿櫬木槿句二名一物相連及朮可謂誤讀時珍慢然因循以馬薊呼朮不知馬薊即別錄大薊又以楊枹呼朮誤之甚也痙疽疑癰疽之誤陶注劉滑子稱其精其當作山枹朴子朮一名山薊故神農藥經曰必欲長生常服山精是也且知此八字是古本草之逸文也玄晏子曰地黄作湯朮作煎餌是星行諸藪之說之所由起也

兔絲子 祢奈之久佐 新抄本草 俗名祢奈之加豆良又宇之乃曾宇

米牛 春生苗狀如細絲長二三寸不能自起待他草柳蔓漸々
纏繞而根絶於地夏作短穗開小白花類馬醉木實似粃豆而
茶褐色內有小黑子延喜式丹波而外六州貢之至今丹波国
出之其他山城之上加茂及白川大和之金剛山等近江武藏亦皆有
之呂氏春秋菟絲無根其根不屬地茯苓是也此兔絲是松上
之蘿與本文別陶引之誤也古詩兔絲附女蘿等古人混松上
之蘿與草之兔絲此條所列九名亦似混合二物一名菟盧本
經菟原作菟蘿

牛膝 以乃古豆知 延喜式 為乃久都知 新抄本草 都奈岐久佗 同上医心方都作以
俗名不之多加又也不之良美田野崖塘極多春生苗莖高一
二尺許節如牛膝葉似莧菜兩々相對秋開花作穗類紫

蘇根如細辛頗巨入藥自堀采者好坊間所賣者栽蒔培養其惟緩弱不如野生者一種葉尖似柳葉根極柔潤肥大生王子山中及十條村尤佳陶注葵州者 蓋是而屬雄也延喜式山城而外十六州貢之本文所云諸疕古今方書皆以為君藥玄晏子曰自採田野采及乾而煎服則有欲吐之意醫家不可不知

茺蔚子 女波之夜 新抄本草 和名抄 此有二種元一類而本文味辛者俗呼伎世和多草者是也陶注及郭璞說且救荒本草鬱臭苗葉似荏子而色青莖方節々閒小白花結子黑茶褐色三稜細長是也近道者花多淡紅八閩通志茺蔚園圃田野多產之莖葉如郭說但其花色淡紅為少異耳依此言之紅白二色彼土亦然其一種呼之近賀與毛伎此葉似艾而長大莖亦方對

節開紅紫色結子似胡麻子（本艸必讀 近世以茺蔚子名小胡麻遂称巨勝子以訛傳訛不可勝言）是救荒本草透骨草一名天芝之麻也近世方書或舉此為真不知有白花者而使用與古悖也延喜式大和貢之今諸国近水濕处生之一名大札綱目作大荻一名貞蔚恐貞茺蔚之誤附后方有婦人一切血病煉成膏方是　張迩現母之祖

女萎　恵美久佐又阿末奈（新抄本草）即萎蕤也其初以美人喻嬖萎故有女草娃草萎蕤草之目見述異記時珍謂爾雅委萎委鈔寫訛為女萎亦不然也今諸国山中極多葉互生如竹而厚開小白花結青實一種有莖帯紫色者與陶所注鉤吻全別河内金剛山及近道亦出之萎蕤黄精元是一物陶注以根概節為萎蕤大節為黄精此為支離之旨隋羊公服黄精法曰

黄精一名威蕤瑞草經曰黄精一名黄芝之魏志、樊阿傳青黏一名黄芝一名地節別録萎蕤一名地節可以互證又委蛇即委蕤別録誤重出之蛇音移召南詩委蛇々々小雅維虺維蛇音義可攷玄蛊子云蕤者花垂皃周礼漢讀攷委子蕤字同義疊言也至開宝本草又出鹿藥別録黄精一名鹿竹々々唐藥當是同物也黄精邦言也末恵々美新抄本草於保恵々美和名抄佐名阿字志多識篇即黄芝字音佐々由利又加良須由利又奈留古由利又阿末止古呂玄蛊子注古呂是童樓之字音諸州皆有今陸奥南部河内金剛山者為佳山城大和近江及近道者次之葉似竹而細長又似百合而薄根黄色横行矣蔵器偏精正精之説鑿矣官園所養両葉對生者享保年間商舶所上漢種也今處々培之根葉花實與邦産

同但葉對生耳入藥殊無優劣

防葵新抄本草載夜末奈須比名而今無識者依素門防房方

皆芳之假借與防風之防不同近世以牡丹人參之一名削防風

為蘋荊注此草葉似牡丹與葵不類凡癲狂之藥太抵有毒

肘后方服防葵身瞤及小不仁為效別録中火者令人恍惚

見鬼其有毒可知丹沙石膽在上品而又為五毒中之物蘇移

久服二字於邪気驚狂之上其辭不穏陶注與狼毒同根樒三

建雷公曰勿誤用狼毒已以為同又以為異使後人無所準適

謝霊運山居賦二冬並稱而殊性三建異形而同出自注云三

建者附子天雄烏頭

茈胡乃世利新抄本草波末阿加奈同上和名抄波作阿芸久佐乃香和名抄此物有

古今之別種類亦多本文所謂味苦平葉名芸香者是古之
茈胡也陶注似邪蒿續博物志引倉頡解故亦謂此物其艸有芳气故一
名地薰。雷公鶴翔之說雖涉乎怪可以知其蕓薰芳也芸亦數種見細目山
巻條七里香今之倍年留字太是也原自喝蘭來時時珍以七里香爲沈氏聽度者
妄矣通南志芸香出昆明有二種一名五葉芸香能治瘡毒入爽方者携之如
嚼此草無味便知中毒急服其汁吐之自解一種名韭葉芸香能
治瘴疱所云五葉者盖倍年留字太而韭葉者未知何物一種似竹葉
稍緊闊小黄花結青唐以後所用也闗東多有故有闗
東茈胡鎌倉茈胡之称一種有葉紫萼者謂之矣茈胡近道亦有之別有葉類栢
葉而極濶大邊如鋸齒面青背白其根細長亦謂之河原
茈胡前胡解散用此物虛熱用鎌倉者注機所云北
茈胡軟茈胡之意也川畔沙石之地及山野向陽之處皆有
之即救荒本草委陵菜一名翻白菜而斯所謂波未阿

加尓延喜式尾張美濃等七州所貢盖此物也○茈急就篇云
黄芩茈胡顔師唐本草云茈古紫字分注旧作柴今
古云茈古柴字唐本草作柴依本草和名引改之乚上林賦茈薑𦊱
足云茈貌茈草並作茈字此草根紫色今大常用紫胡旧作茈今依和名是
也又以木代　相藥呼為紫胡撿諸本草無名此者傷寒論本草今改之大小茈胡
湯是為痰気之要云々撿柴胡之名旧出戦国策即紫茈通用也依說文
紫是小木散枝則更文当作茈上文痰気之要即今之前胡
讀俱若雌斯又若鮮前前茈原一声但隨風土而声有緩
急之異說文茈从艸此声柴从糸此声雌从隹此声玼从玉此
声泚从水此声呰从口此声玼从手此声眥从目此声觜从角此声貲
从貝此声疵从疒此声又云揃从手前声煎从火前声箭从竹
前声矢也兼声与義而言𩏊从疒鮮声𩅞从雨鮮声讀若
斯猴名云𩏊徙也淩遙移徙易曰廣也故青徐謂𩏊為徙正
与詩北風新臺玼瀰鮮之押声笑茈胡前胡原是一物故古本

草有茈無前陶惑字之與分為兩種而後歷代諸家皆守其說遂無知為一物者外臺秘要胡洽大小前胡湯即傷寒論大小茈胡湯茈前一声緩急之意隨風土也茈又讀若偲䚡說文偲从人思声䚡从角思声柴从木此声齜从齒柴省声讀若柴王篇思息茲切偲七戈切䚡先来切柴仕皆切齜士佳切春秋傳宋城者曰于思于思棄甲復来寂名思如字又要戈切正與齊風盧令鍰思之押声相得是亦茈之緩声也右天保癸巳五月四日録以寄安盅子彼報云茈前二胡之胡是葛高字胡葛亦声之緩急也詩云狼跋其胡々者喉也及左傳皐比虎皮等可例也

前胡 宇多奈（新撰本草 惠方寮沘 胡云阿加奈蓋音通也）乃世利（新抄本草 勅號記）美都波久佐（延喜式）

俗名多迩世利（乃世利同意）近道者初生莖枝三葉似三葉芹長則起

莖高四五尺似小竹杖莖上葉互生類独活而細小稍闊攢簇
葉黒花與胡蘿蔔花一般時有白花者此即紹興本草圖
絳州前胡也出薩广者老嫩皆三葉開白花紹興圖成州前胡
也出肥後者葉細痩如野菊紹興圖淄州前胡也出尾張者
葉細長如白芷而無鋸齒紹興圖建州前胡也救荒本草
所圖即時珍所説者也入藥苦味芳香者佳延喜式三大和等
十七州貢之

麦門冬也末須介萬葉集一種俗呼也布良牟者葉如建蘭有縱
文根稍大性味全同又有於伎奈草葉濶大似觀音艸而白
色又有乃之良牟葉長大光滑夫古人所采即隈阪久廢处
所生尋常如韭葉者也時珍曰後世所用多是種蒔而

成今坊間所賣者亦如之

獨活　宇止新抄本草字鏡　都知多良新抄本草和名抄　乃多良字鏡　此物古上羌産
故以羌名之猶川芎蜀椒也今無羌産宜用獨活蘇頌汪機
等說可以蘇頌曰古方但用獨活今方既用獨活而又用羌活茲為誤矣好古曰羌活獨活不分二種汪機曰独活一名羌活本非二物後人見其形色気味不同故為異論　本邦所産凡數種有樬木葉濶葉狹葉之別然
元非異類但優劣不侔耳其樬木葉者春生苗似蘆蔔而
長大為蔬其好既長莖高五六尺每椏五葉頗類樬木葉
故有都知多良之目夏開小白花作毬如八角金盤花是古
今邦人所用獨活也坊間根為獨活莖為羌活據大明之說猶
參之別蒼白也其濶葉者俗呼土士字止大男各似都知多良每
椏三葉極濶大滑澤柚直莖々端分小枝攅簇小白花伏如

傘盖根黄白色乾則淡黑气臭猛烈卽陶注羌活而紹興
本草圖茂州独活也其狹葉者謂之宇止毛止彼山城高雄山多生
故謂之高雄羌活其葉似士士宇止而狹長節間深紫色曾是
紹興圖文州羌活也藥用以士々宇止為上下野之日光山信濃之和
田嶺及陸奥日向等出之延喜式山城等二十三州所貢蓋都知
多良也癇痓疑是瘂之誤豚實之見皀頭翁條豚一名豕則
豚實者是豕實也

車前子於保波古新撰本草和名抄仙臺方言加倍留波與蝦蟇衣同意葉布地如匙面
抽莖作穗原野園圃極多又大葉長穗者俗称朝鮮毛茸者
呼紅毛国非其国之産以形狀奇異故擬外国種耳入
藥尋常原野園圃者為好矣一名勝舄細目作馬舄

列子天瑞篇陵舄注車錢草此補一名陵舄四字可也

木香 勅號記佐宇毛久佐今謂之於保久留末草葉似旋覆而大或似紫苑高三五七尺開黄花亦似旋覆稍大或似菊花新撰本草出播磨勅號記佐宇毛久佐播州林之延喜式下總常陸近江上野下野播磨貢青木香是也然本文元来併録三種不止上文所釋之物請審言之本文味辛而今味苦則為二物可知也一名蜜香即今之沉香陳藥曰蘋 頌圖經廣州者乃木類是也廣州志肇慶新興縣出多香木俗名蜜香避惡氣殺鬼精一徵也李珣曰蜜香辟惡去邪惡尸注心氣本經主邪氣避毒温鬼二徵也晉書太康五年大秦国献蜜香樹皮紙陶注木香出大秦国二徵也 蔵器曰蜜香味

辛温無毒本文亦味辛温無毒四徵也陶注合香者莫以沐浴
必是沉香之第五徵也天平勝宝八歳法隆寺献物青木香贰
拾節亦宜為沉香六徵也撰本経者以沉香与土青木香
混列之草部後人不察何也文献通攷姚州故滇王国漢武帝
開之置益州郡後漢分置永昌郡生永昌者蓋為土青木香即
馬兜鈴根也別本注及蘓頌記葉如薯蕷而根大者是也今蛮
舶所載来形如枯骨味苦嚼之粘齒者又當国物安南其草堪以
架屋又嶺南樹経冬不凋異境宜有巨大之馬兜鈴根也

薯蕷也未都以毛（新抄本草 和名抄）山乃伊毛（和名抄医心方 即山芋之訓）山中自然生
者為真宜陳皮葛乾如削皮則液脱力薄園生者俗呼長芋
比山生則肥豊一種有都久称芋状不長而平鎮江府志佛堂薯

莖葉性味大氐相似延喜式大和等三十八州貢之今所在極多

薏苡 王弖豆志 字鏡 都之太未 新抄本草 春生苗莖高三四尺葉如蜀黍開小白花作穗五六月結實青白色形如珠子而稍長又別有苗實相似而肥大者雖二者有大小之異都是粳穢而古今所采者也後人不辨芑芓芓岐為上何也素問吠脉云 循薏苡以豈揩芑芓芓岐而言哉延喜式大和貢之今諸国極多陶注交趾者子最大呼為薢珠救荒本草引作藾薢藾穢通用俗呼兒須之多麻者也起實細目作芑玄盡子云小而殼固者為粳穢則歟者宜呼糯穢是雌雄之分也解蠡根名也蠡譽作蝝蝱蛔同我邦上古用為蟲之所最

澤瀉 葉尖圓似匙故俗名佐志於毛多加生溝瀆淺水中莖葉

似車前紋脉竪立直抽茎高二三尺對分小枝開三瓣小白花結小
青實根大如芋皮以白色重實者為良新抄本草及和名抄訓
於毛多加又奈末ゝ為者蓋今之久王為而非是於毛多加也花茎全
一般但葉有岐似燕尾故曰華子謂之燕尾草即別録之藉姑也
李當之云車前澤瀉之類陸生者小而米實澤生者大而米根
主療不相遠陸生故曰陵舄馬舄水生故曰澤舄鵲舄也扁鵲云
多服病人眼此言有徵不特本藥諸通小便藥皆然

遠志　陶所注郡産絶無故延喜式諸州貢藥不載此名新抄本草
和名抄並無訓譯福田方唐國厚而肥大郡産比之梢劣但呼
鎌倉遠志者上此草今無識者文化戊寅之秋余戍大坂城予
陪從暇日訪道修街藥鋪得舶来遠志根葉連者数十茎漬

之水中経宿觀之葉似百蕊草俗名加奈毗佐草而不密又似石竹而極細小其茎青細彷彿麻黄陶之所注是也救荒本草曰似石竹子葉極細其所圖與予所得合可以無疑也今皆従唐山朝鮮来東国宝鑑引本草葉如麻黄之文則朝鮮所出亦與唐山為一者可知也前輩以俗称比女波岐又須受女波岐又古久佐者擬之其為物似胡支花極細小夏秋之交開淡紫花又有大葉而黄楊木者又有狭葉如石血者雖有大小之異都是痩細不堪入藥福田方所謂邦産指是歟抱朴子陵陽仲子服遠志二十年開書所視便記而不忘齊蛤即馬刀

龍膽　衣也美久佐新抄本草和名抄別録有時気温熱之治　尒加奈同　九多仁源氏物語　利牟止字勅號記即龍膽之訛音　太都乃伊久佐字鏡　山氏古奈同上　俗名佐々利牟

寺近道山野処々有之葉似竹而両々相對開青碧花形如鈴鐸根類牛膝稍細又有俗呼蔓龍膽者花葉如龍膽而蔓生絡貫如槐葉珊瑚可謂一類別種也又有春龍膽莖二三寸花如龍膽葉極細小也圖經有山龍膽景云言山作石原是一類前輩以山龍胆為当薬 此草花葉似龍膽而細小 一名世年不利一名比止不利 石龍膽為春龍膽或云山龍膽是蔓龍膽石龍膽是當藥皆欠詳審延喜式山城以外十二州貢龍膽千金方小兒驚癇者龍膽湯是本文治驚癇之徵

細辛 比佐乃比太比久佐 延喜式新抄本草 和名抄 字鏡 美良乃称久佐 同上 美也未奴奈波 病號記 此草類種太抵相似一根一葉相連者二葉互生者雙葉相値者並所不拘也入藥嚼之大辛習々如椒根細者隻

俗呼寒葵者葉似馬蹄有班文根曲而黄白色是杜衡也延喜式
伊勢武藏近江信濃上野越前越後佐渡但馬出雲石見播磨
美作安藝周防長門阿波讃岐伊与土佐貢之以上諸州今亦出之
及大和河内豊前陸※下野伊豆陸奥南部及津軽出羽秋田最上
等亦出之藥效逆頭痛古今方書多本藥為主一名小辛管子及山
海經作少辛

石斛須久奈比古乃久須利新抄本草和名抄○相傳上古少彦名神使用此藥以波久須利同上俗
名以波止久佐叢生石上又有木斛生樹木上皆莖長三四寸似木賊
莖頭生葉似竹稍狹花如建蘭白色入藥石上者為上又有麦
蘭莖僅一二分似大麥粒即穫注麥斛也延喜式陸奥但馬伯耆
備後安藝大宰府伊豆紀伊貢石斛伊賀伊勢三河駿河下總、

近江美濃丹後因幡備後土佐伊豆貢大斛
巴戟天也未比々良岐新修本草和名鈔○狗骨葉端有刺戟人與木亦生山中葉本有刺與狗骨一般故名此木
高者六七尺低者三四尺葉似茶而硬兩々相對莖有棘刺根
極似連珠黄赤色經冬不枯日華子曰名不凋草蘓注二蔓艸紹興本
草圖歸州巴戟天即此物也延喜式周防長門美濃貢之今九州
諸山及伊豆天城山亦出焉戟棘音通字彙戟吉逆切音棘可
以證說文戟有枝兵也笺戟讀若棘別録重出巴棘是一類
葉白為異耳木生巴郡有棘戟人故有此二名巴棘不可重出者
明矣撰本經者誤以為草類遂至以撥珠狳乃木為非真未深
考也一種俗呼柹乃葉者春舊根生苗高二三尺葉似柹而小開
花如豆深黄色根長六七寸連珠似黄連霜後苗葉凋枯生山城

天台山蓋巴戟之一種也今般来只一種莖絆舖擇細長連珠者称數珠様木梗肉厚者称棒様不知者以為両種或數珠称乃本為數珠様柳乃葉草擬棒様其附會可發一笑

白英　保呂之 新抄本草和名抄呂作曽 又都久美乃以比称 同上 此草今無復識者前輩以比與止利智也宇古充之其草是蜀羊泉載在中品或以為馬乃奈牟波牟一名大奈牟波牟此草蔓生檣葉一朶花淡紫色狀如比與止利智也宇古實亦似　而微長是唐詩画譜及草花譜所載雪下紅也

白蒿　加波良與毛岐 新抄本草和名抄 之呂與毛岐 同上 今有俗呼之呂與毛岐者 一名波未與毛岐 苗葉略與艾一般只背面皆白為異蘘注皤蒿是也佐渡河原田濱之産世推其名又有加波良與毛岐

者一名加波良波々古一根叢生葉似萆菊而稍細厚背有白毛花白似菊而極小生武之玉川相之金鳥川駿之大井川等矣紹興本草所圖兩種其一似加波良與毛岐而花形稍異一則為之呂乎毛岐今定為此物据蘇注及陸璣之說也陶注與前菴蕳子同法千金翼異方所載唐本草白蒿列上品之卷尾菴蕳次升麻條皆前也證類本草品列與翼異方大有逕庭蓋慎微編選易其次序也

赤箭 乎岢止之 新修本草 和名抄 加美乃也 新修本草也下擬脫賀良二字 加叛乃也加良 和名抄 俗呼乃也賀良又盗乃陶之多生平原及竹林中一莖直上高二三尺狀加笄蔚箭簳黄赤色莖頭成穗開花似草蓯蓉根有大魁如芋浅褐色又有海子周環魁旁者沉括筆談本草明

言根後人謂其莖如箭疑當用箭削蓋不然譬言如鳶尾牛膝皆因莖葉相似其用則根何足疑哉一名離母抱朴子謂之離母者根出對芋有游子十二枚周環之去大塊数尺雖相須而實不連気相属耳陶注莖赤葉生其端蘇注葉遠看如箭有羽抱朴子云葉似莧本邦之産未見生葉者莖端有小薄皮似葉耳諸家所謂葉蓋指此而言馬志曰葉如芍藥而小必是奇品不然則傳聞之誤

菴䕡子 比伎與毛岐 新抄本草 波古 新抄本草和名抄○罽麹草馬先蒿亦有此称同名異物

俗名比女與毛岐又伎與毛岐宿根春發苗叢生莖高二三尺其脚葉如菊而上葉漸々細小似牡蒿而互生又類茵蔯葉之初生開細黄花結實與艾蒿一樣延喜式相摸飛彈貢之今讃岐

播磨等山中皆有之與吳普葉青厚七月實黒者梢異救荒本草蕳蒿田野中處々有之苗高二尺餘莖幹似艾其葉細長鋸齒葉柳莖而生疑與本條不同也謂之菴蕳者草菴門閭種以辟蛇說見醫学入門

菥蓂子　都波比良久佐（新抄本草）俗名於保奈豆奈又於止古奈豆奈近道田野極多與薺一般只肥大耳或云小者為薺大者菥蓂音不見殊不知蓂眉平切音明菥蓂二合轉音薺玄盅子云隋書經籍志有殷子嚴本草音義二卷相傳孫炎創作及切其人嘗注爾雅必多識草木之名及切之起蓋本由子本草復名草名而所謂音義若存應亦詳記此等之事也

蓍實　女止久佐（新抄本草　和名抄）阿之久佐（勅號記）俗名女止波岐其葉

似雞眼草而微長如胡枝稍細葉間開白花亦如胡枝花一枝叢生二三十莖至四五十莖筑波山民采之副易書而賣之大和吉野丹波龜山城比叡山等皆出之救荒本草謂之鐵掃箒矣又有俗呼羽衣草者一名乃古岐利草又賀年岐草又依之毛久依一根叢生五十莖許葉著莖互生長二三寸廣二三分鋸齒尖深莖端開白花攢簇似菊極小亦有紅色者蘇頌所說蔡州上蔡縣者是也此草比前稍巨其五十莖入手不易握也易云幽贊於神明而生蓍今之蓍果真耶抑非真耶

五色芝之柳坂直登菟田山紫菌事見書記與今所有紫芝全異今之紫芝一名靈芝又吉祥芝又依比波比茸又加止五茸生山中沙石際朽木株上狀似松蕈繖蓋肥大色紫褐而光澤如漆往歲栅

島栽公苑中生之近道處々時或有之西郊賣者多帶赤色
玄蟲云 隋書經籍志種神芝一卷、然則此物亦爲蒔蒔歟

卷栢 伊波久美 新抄本草 和名抄 又以波古介 同上 俗名伊波比婆今世
庭上假山種以爲飾形狀與陶注合延喜式美濃出雲備中貢
之又有似而稍細薄者謂之比女比波圖經載地栢云根黃狀如絲
莖細上有黃點子無花葉今俗謂之松葉蘭時珍以爲卷
栢之生于地者非也

藍實 阿爲乃美 新抄本草 和名抄 菘藍實也紹興本草圖與陶說符
此種係享保舶來清人呼江南大青者葉如菘青白色開黃
花似菘而小實亦似菘東醫寶鑑今種蒔大藍實本經逢原
藍實卽大青子是也 別錄大青 同名異物 一種葉似蓼稍円者斯云多

天阿為和名抄閭淺紅花成穗細小實亦如蓼蘓注蓼藍是也此物從來本邦所產今山城攝津阿波淡路等諸州出之亨保船來浙江大青與此一般但苗葉稍肥大耳一種俗呼之加奈者岩嵜常立白葉似菘藍稍短花實大抵相似蓋紹興圖馬藍也今武之河越出之或以為菘藍誤矣馬藍有二爾雅葴馬藍是蘓頌菘藍可為澱亦名馬藍者也又揚州一種馬藍（佛当作福紹興圖所載福州馬藍蓋一物也）四時俱有類苦菜可見時珍未知菘藍有馬藍之名也蘓注木藍時珍曰長莖如決明云々和名抄都波岐阿井今不可識矣蘓注蓼藍不堪為澱唯作碧色本邦以蓼藍為澱故其色不美澱和名抄阿井之流蛊岐依旧注當作毀其柄吠見千金方注毘二字疑倒

芎藭於無奈加豆良延喜式○新抄本草和名抄於無奈加豆良久佐 於無奈久佐多識篇
宇之久佐丹後人以療牛病故名云 葉似水芹葉有 又作叢莖
青細高三尺葉若最其葉間抽莖開碎白花亦似水芹其
根如馬銜如雀腦隨土地之肥瘠其形自異又俗呼美吾夜佐以
者或以為馬銜芎此草葉以白芷莖高六七尺花實與當歸
一般根結兩三塊狀如連珠恐是別物或以為藁本亦不然也
依蘼蕪蘖注有芹葉 然葉二種未聞如前狀者也延
喜式所貢土州今多出大和山城丹後豐後肥後陸奧等中古
醫人重般未不識邦產故武備志日本藥材俱在川芎至
至貴者也其後邦產冉踰海內之人知其勝於船來本文所云
主治今人皆賴用為尤傳山鞠窮釋文鞠音芎古音通也

朝鮮名궁ク궁ク이キ久々即鞠窮之省声也神代有菊理媛則菊之為久々我之古言傳今朝鮮也東医宝鑑蕪芎即苗頭小塊窠蘪蕪芎之約也

蘼蕪　別録云芎藭苗苗之與根産地異者殊為可疑下學集以為當歸未知何據蘪蕪證類作蘼宜依爾雅說文本草和名改之薇蕪見南都賦江蘺楚辞本艸和名作離博物志芎藭苗為江蘺根曰蘼蕪疑亦有誤說文蘪蘪蕪也又云蘺江蘺蘪蕪也又云茝虈也又云虈楚謂之蘺晋謂之虈齊謂之茝如是則蘪也蘺也茝也虈也一物而白芷苗也爾雅蘄茝亦一物爾雅蘄茝蘪蕪郭注香草葉小如萎狀萎狀即蛇牀蛇音委狀牀通音或誤字也爾雅蘪蕪一名江蘺似蛇牀而

杏楚謂之離淮南子云亂人者若芎藭之與藁本蛇牀之與蘼
蕪蘼蕪之似蛇牀由來尚矣具以芎藭對藁本蘼蕪對蛇
牀然別録以為芎藭苗則誤矣子虛賦衡蘭芷若芎藭菖
蒲江離蘼蕪上林賦被以江離糅以蘼蕪依此則江離蘼
蕪各為別物吳都賦江離之屬海苔之類郭璞云江離似水齊
張勃云出海中正青似亂髮郭希義云赤葉其如此則江離亦有
同名異物也

黄連　加久末久佐新抄本草和名抄　加伊末久佐尓驗記　也末久佐延喜式邦産
數種曰菊葉曰五加如葉曰芎藭葉曰芹葉曰三葉其中復
有大葉細葉長葉圓葉之殊耳根又各不同黄色如連珠者
名實相称冝為上　鷹爪者多毛者無毛者肥大有細小者今藥皆不

拘賀實紐苦正黄者為佳 延喜式加賀能登越前信濃佐渡丹波丹後但馬美作備中安藝貢之今此諸州而外越中越後 陸奥出羽出城大和甲斐常陸伊豆上總下總等出之紹興本草所圖僅三種邦産不啻種類多最為上品本経逢原日本為下者偶見下者而言也

絡石 俗名定家加豆良葉似橘而延絡石上開小白花一種呼勢伎陀加豆良者葉細厚短四赤色如血即石血也新抄本草和名抄訓都多者恐今俗所云都多而非絡石也 主喉痺有一味煎服方觧石證類作石鯪略石明石等似石部藥名錯簡在此故陶注以為石類

蒺藜子 波末比之 新抄本草 和名抄 之呂比之 勅號記 蔓延布地葉似合歡

稍厚開小黄花如蛇含花子有三角刺人延喜式備後阿波播磨貢之今紀伊若狭摂津伊豫相模等海濱砂地生之別有沙苑蒺蔾岩崎常吉俗云蓮花草也與本草原始所図合矣并合歡充之非叙羽綱目作休羽

黄蓍 也波良久佐（新抄本草 和名抄）加波良佐々介（新抄本草）加良與毛岐（[illegible] 記）此物有剛柔二種剛謂之木柔謂之綿陳藥以綿為地名恐非也其一叢生茎硬直高三四尺葉似槐微狭又似苦参茎葉有毛茸開黄白花結小尖角根長一二尺柔軟如綿味苦是綿蓍也安藝廣島之産甲子諸州加賀白岩信濃戸隠山下野日光山等物亦佳其一茎軟弱偃也如蔓根堅硬如木味微苦是木蓍也駿河冨士山讃岐河野郡大和金剛山等皆有之時珍以緊實如箭

簳為良蓋言本蓍也延喜式山城等十州貢之蘇頌曰以苜蓿爲茹

有二俗呼黃蓍一名品川草武州品川多產故有此名救荒本草零陵香是也

其一出於細目俗云馬古也之山城一乘寺村吉氏呼為惠乎止豆留

者極細小不可以擬黃蓍也一名蜀脂古今醫統作獨脂

肉松容 伎毛良太計和號記 俗名伎末良多介又於加佐多計下野方言

下野金精山多生之或云鹿精落地而生莖圓如手指有松子鱗

甲高者一尺許低者五六寸開花成穗如赤箭花根有魁長二三

寸又出筑波山者莖細如筆管高五六寸根白色如手指鱗甲重

疊似嫩松毬保藤注本邦所產是草松容

防風 波末於保祢延喜式 波末須加奈新抄本草和名抄 波末迩加奈上出近

江猪吹山下野日光山等者葉如胡蘿蔔細小又似青蒿深綠

色莖高三尺開小白花横簇如芹結子亦如芹根堅實長七八寸
俗謂之猪吹防風山人參今坊間所賣華防風是也出信濃及近道
者比猪吹産葉梢大又有芹葉防風葉似芹叢生花實全與芎
藭一般根黄白色長六七寸山城白川極多故又名白川防風從前以擬石
防風非也又一種濵防風海濵沙磧之地皆有之食其嫩苗辛甘苦
香即紹興本草圖河中府石防風而時珍所謂珊瑚菜也福田方
防風有邦産有舶来邦産中有筑紫防風天皇子防風二種其天
皇子防風謂之波末於保祢多生海濵其筑紫防風有蘆頭味帯
苦由是觀之邦人古来所來亦有二波末於保祢即濵防風而筑紫
防風蓋華防風也延喜式駿河伊豆相模上野貢之蓋駿豆相所
貢即濵防風而上野之産恐華防風也本文所言諸症古今方書

皆以為主藥

蒲黄女加末新抄本草加末和名抄俗名比良加末蒲苗邪言加末乃波奈新抄

本草和名抄俗名狐乃蝋燭又加末乃保古春初叢生水澤中葉似莞而編長五六尺或八九尺地之肥瘠長短不同蘇頌曰至夏抽梗於叢葉中花抱梗端如武士棒杵故里俗謂之蒲槌亦曰蒲蕚花其蒲黄即花中蕋屑也細若金粉當欲開時便取之市廛以蜜搜作果食郛人亦有楙此花以代大豆黄粉作菓之者一種比女加末只細小為異耳延喜式阿波河内上總下總貢之今以上及其□蒲州皆産焉玄蚩子云古事記大穴牟遲神告菟取水門之蒲黄敷散而轉輾其上膚必愈諱窩楊梅上古以為鬪傷出血之藥也二百年前有草全者治鬪傷失血及産後血暈不識人者用之瘀血消從小

便去也

香蒲　葢蒲而芳香者非尋常之物也

續断　波美 新抄本草和名抄 勅號記添久佐二字 於尓乃也加良 字鏡 阿佐美 勅號記 即

大薊根也本経已有續断而別録更載大薊誤也李當之曰續断

是虎薊外基引　方云續断即馬薊與小薊葉相似但大

於小薊耳又引古今録驗云續断即馬薊根日華子曰續断是大

薊字典引類篇曰虎許 與薊同 續断可以證也二種不知為一物

葢為別録所謂也至時珍乃云二種所云與相君符夫藥録蔓生

莖細葉細者二種莖方葉似荏不蔓者何宥之有延喜式下

總美濃丹後因幡出雲備中安藝伊豫貢之即大薊根也近時

於止利古草一名古毛曾宇花為二種所詮之物此草近道處々

至多其葉如荏又似藿香兩々相對莖方高一尺許節生淡紫花極似益母梢大然根細小不堪入藥則似而非者也

漏蘆 各呂久佐（新校本草 和名抄）阿利久佐（同上）俗名與毛岐毛止伎一名比伎與毛伎近道處山多生葉似細艾花黃莢長深秋枯黑如漆蒔注莢高是也延喜式山城攝津近江若狹丹波美濃備前伊豫貢之即今各呂久佐也此草莖葉可入藥而根極細小不堪用經言采根可疑蓋根連莖而采之用在蘆頭故以蘆稱之歟一種小樹俗呼美曾久佐一名宇智久佐葉如南天燭三葉爲一朶高二三尺成穗花似荻淡紫花後結莢有毛刺實四如大豆此陶注鹿驪而藏器木藜蘆經言採根蓋指此也況存中以爲飛廉唐俗以爲馬薊似苦芙者（即秋田村草 一名玉箒木）沂州人以爲花葉似牡丹者（花鏡秋牡丹也一名秋芍）

薬山城貢舩多生之故名貴舩
菊一名唐菊一名八湘牡丹秦州人以為花似單葉寒菊而紫
色者救荒本草六月菊也俗名之由牟菊一名良牟菊海州人以為花老翁花即白頭翁諸説
紛々皆不穩當

營實　宇波良乃美新抄本草和名抄宇作無曽宇備古今集即薔薇字音有野生園
生之別野生者俗呼乃波良葉似椒而白花唯一色園生者葉
長大花或白或紅或黄或紫倶茎輭多刺人藥以園生為上金櫻
子極善陶注白花就數色中撰而采之者而非云野生白色也蜀本
圖経子如棠梨亦指園生也金櫻子俗呼難波伊婆良一名朝
鮮伊婆良一名夏伊婆良是也蜀本圖経金櫻子味酸濇無毒
治脚洩下痢別録根止洩痢千金方療小兒疳痢暴多方用薔薇根止小便利外臺秘要治遺尿不自覺
濇精氣気味主治彷彿本藥可以見也延喜式攝津貢

薔薇根一名牆麻麻䕷古通用牆薇之薇亦是䕷非義時珍云柔
䕷依牆故名業營與甖通金櫻之櫻亦同實之形狀類甖也
千金方治癰腫瘑毒潰爛疼痛用薔薇皮更灸熨之與本文
所載似矣子皮力之相若理或可解別錄根上淺瀬而今人用子下大
便閲結子根力之相違其理不可解矣

天名精 波末多加奈 新抄本草和名抄 波末布久良 同上 伊奴乃之利 勅號記
俗名也布多波古一名狐之多波古葉似烟草而小且有皺文狐
氣尤甚長則起莖高三尺開小黃花如小野菊結尖細實即薽
注鹿活草而勅號記伊奴乃之利是也其波末多加奈又波末布久良
蓋非草也陶以為豨薟 音喜枚 而疑其味之異要之古之天名精不
可復識薽注天蔓菁蔓菁與名精與菁是声轉也又云一名地菘

蜀本圖經夏秋抽條類似薄荷花紫白味辛而香葉似山南菘葉然氣味辛香則非本文之物他亦有名地菘者陶注鳥樟云一草似狼牙辛臭名地菘馬志曰地菘味鹹生人家及路傍陰處高二三寸葉似菘而小此俗所云小葉大根草之類藏器曰地菘似天門冬其同名如此時珍強為一物何也

決明子 衣比須久佐延喜式新抄本草和名抄並同 俗名伊太知佐〻介一名波夫草波夫即反鼻之轉薩摩土人用此解蛇毒與時珍引相感志合 延喜式駿河等十州貢之今在官園者享保中商舶所上葉似苜蓿而本小末大又似槐而肥大晝開夜合一莖直上高三尺黃花結莢長三四寸莢中子十粒欹如馬蹄而細小陶注所說是也其江芒者邦產無有時珍以為山扁豆救荒本草云山扁豆生田野中小科苗高一尺許葉似疾藜微

大比苜蓿頗長又似初生豌豆葉開黄花結小匾角兒味甜前
華以源原決明一名尾張決明充之然此草葉似合歡不似莢菜
且與苜蓿及豌豆葉絶別式所載決明子今無復知依衣比須
久佐之目則古或得種於胡中而播殖之歟千歳之後不能知其
實也

丹參 尒古多久佐延喜式 安仁久佐勅號記 俗名久波賀多草春月宿
根生苗莖方四稜葉似野蘇及薄荷本有兩尖夏発紫花成穗
似紫蘇稍大根皮紫赤如小指大一苗數根今江戸青山唐津
侯別莊竹林中極多不是培栽之物但花淡黄爲異延喜式
武藏相模美濃貢之新修本草殖美濃国勅號記美濃国採
之

茜根 阿加祢 新抄本草 和名抄 近道處々有之葉似棗々而頭尖四葉對生節間莖方蔓延開細小黄白花實圓如椒而小根似細辛黄赤色一種有時生者苗高一尺許葉對生作三四層下野日光山大和多武峰産之延喜式攝津安藝貢之今諸州多有

飛廉 曾々岐 新抄本艸 和名抄 布保々天久佐 同上 之保天 医心方 俗名於介乃也賀良又兒乃未由波伎又兒阿佐美近道往々有之大抵似小薊葉有細刺莖高者四五尺低者一二尺附莖有皮如箭羽開淺紫花亦類薊陶注所云是也蘇注一種無箭羽者沈存中所謂根如牛房而綿頭是也

五味子 佐那葛 古事記 萬葉集 佐祢加都良 萬葉集 新抄本草 俗名美男加豆良又備年都計加豆良近道時有之人家庭牆亦種之葉似木犀而

厚有光澤細莖延木上開黃白花圓實似南天燭稍小延喜式安藝美濃貢之今安藝廣嶋極多其他山城伊勢日向丹波伊賀伊豫等諸州出之一種俗呼松房又字之蒲萄者蝦夷方言礼都布仁波都多又礼都天波都知葉似杏而長厚又似木天蓼鋸齒稍粗結實似佐以加都良而五味都具與吾享保年間朝鮮來者一般即陶注第一出高麗者而東醫寶鑑五味子我国咸鏡道平安道最佳是也駿河和泉紀伊播磨信濃等諸州皆有之

本文所載諸病古今方書皆以爲主藥

旋花　波夜比止久佐（新抄本草 和名抄）一名加未疑有誤脫陶以爲山薑花蘓注駁之此根味甘山薑味辛今按本文當作蕣華訛轉作旋或一邦之方音也（此有先讀若螽斯羽詵々之詵又徒讀若選之意）蘓注旋葍亦蕣葍之

訛轉盖俗以舜與葍而為一名也復名已立而遂與旋覆混矣說文曰藑茅葍也（爾雅葍藑茅郭璞云葍華有赤者為藑々葍一種耳）一名舜又云舜楚謂之葍秦謂之藑（此下蓋缺茅字）蔓地連華象形可以證也謂之節者以根形之似也形相似故亦名節根詩所謂顏如舜花是也蘇注別録根主續筋此別録者別一書非名医別録也地膚注所引亦同

蘭草　布知波加末（新抄本草　和名抄）良仁（古今集　即字音）生水旁下湿地人家亦種之叢生葉有岐如燕尾莖四節大開淡紫花又有白花者蘇注所云是也一種有生山中葉無岐者入藥以下湿地者為良素問蘭除陳氣易左傳夏小正及家語芝蘭之室（芝芷音通）内則婦或賜之茝蘭皆指此草也宗奭山谷輩以為幽蘭前賢已辨其非

蛇床子　比留无之呂（新抄本草　和名抄）波末世利（新抄　本草）今藥鋪所賣即俗

呼也布志良美或云也布人参者田野墟落甚多葉似胡蘿蔔莖
高二尺許毎枝上開小白花結實如米粒葉實俱有毛茸陶注難
鉄子形其所云蓋是也小野蘭山曰享保年間呉舶之所載来其實細
小有堅稜其狀與也布志良美絶殊有俗呼濵人参又島人参者其
子似蒔蘿而小有細稜與舶来一般是為有其也布志良美即鼡雅
窃衣（郭注竊衣似芹可食子大如麦両々相合有毛著人衣疏云俗名鬼麦）而藥性纂要所謂鶴
虱也按濵人参多生瀕海之地往年江戸州埼多有嘗移植之于予園
中葉似芹而厚小且有光澤新撰本草波未世利恐指此也今諸州
崎其種絶矣延喜式武藏相模常陸尾張美濃長門阿波讃岐
伊豫貢之此諸州皆是瀕海之地則其所生當是波未世利也然濵
人参田野墟落絶無之則與本文及陶注不合濵人参八九月結子

與本文及圖經五月採之合濱人參無皮殼之當採去則與白華子所說不合紹興本草所図南京蛇床子及救荒本草所図雖有大小之別原是一物索其形狀非濱人參而也布志良美產地葉狀採時皆與本文及陶注合古来医家未以為藥每奏其效則用之可也

地膚子 尓波久佐 新抄本草 和名鈔 末岐久佐上同 俗名波々伎幾又波伎々幾

田野園圃極多葉似荊芥稍大一科數十枝攢簇直上高二三尺其莖有青色赤色之別陶注所云是也一種阿波徳島所生苗極柔弱蔓延地上藴生所云是也延喜式武藏貢之至今此地極多

景天 伊岐久佐 新抄本草 和名抄 俗名辨慶草又血止草又一夜草莖脆弱高尺許葉似馬齒莧大如匙開小白花結實頗類小連翹房一種俗呼無根草者陶注江東細小而圖經佛甲草是也一種

有義也婆也草其茎偃地不能直立三葉相對開淡紅花或謂之圖經所説莫景天非也一種有岩蓮花其葉之生正似蓮花

茵陳 阿良與毛岐 延喜式 比岐與毛岐 新抄本草 和名抄 此有兩種曰山曰家其山茵陳近道緣山道灌山等多有之俗謂之於岩與毛岐春初因根生苗茎圓高三四尺葉本狹末大多頗似防風而有花岐秋間作穗開細黄花結小實正與女青蒿一種所謂生太山雷公葉有八角者是也當採茎葉陰乾入藥矣其家茵陳雖古今種之圃而為蔬元是他處移來者武之玉川相之七里濱其他川畔沙地皆有之俗呼河原艾又河原松葉葉似青蒿而堅細又頗茴香花實與青蒿相似亦因舊根而生藏器曰因舊苗而生故名後加蒿字也今詳此非菜中茵蔯也林億千金方凡例曰茵蔯茵蔯蒿名同而實異

可謂元是兩種前葦不察以河原艾為藥物於古與毛岐為
齊頭蒿者疎漏之至也此物味苦如河原艾嫩葉味淡老則辛辣
與本文不合近時有朝霧草原出蝦夷莖葉花實似河原艾而味
苦無已則代用可也吳普生田中如藍十月採者今不可識蘋須曰近
道皆有而不如泰山者似蓬蒿而葉緊細謂之山茵蔯江寧府一
種葉大根麁黄白色夏有花實階州一種名白蒿似青蒿而背
白本土皆通入藥南方医人用山茵蔯乃有數種其說云山茵蔯
京下及北地用者如艾蒿葉細而背白其氣如艾味苦乾則色黒江
南所用莖葉都似家茵蔯而大高三四尺氣極芬香味甘辛俗又名
龍腦薄荷吳中所用乃石香葇也葉至細色黄味辛甚香烈本
草但有茵蔯蒿而無山茵蔯注云葉似蓬蒿而緊細京下北

地用為山茵蔯可見彼土所用各々不同讀本草者不可不審

杜若 若即榭若之若指葉而言生山澤而葉芳香者九歌曰搴汀洲兮杜若將以遺兮遠者白氏文集昆明春水々滿々今來綠水照者天游魚鱍々蓮田々洲香杜若抽、短通雅以為高良薑中山傳信錄蘂孚花稻若水也布蘘荷貝原損軒花蘘荷俱欠穩當出岩崎常正云俗呼青乃熊竹蘭者葉似良姜而瘦細高一尺許成穗開白花頗似建蘭中心淡紅廣東新語鮮草菓人多種以為香料蓋即杜若非藥中之草菓也苗似縮砂三月開花成穗色白微紅五六月結子其根勝於葉味辛々温能避瘴氣久服益精明目令人不忘

沙參 朝鮮名더ト덕ク即止々伎之轉也 新抄本草千歳蘽訓止々伎新撰字鏡桔梗訓於加止々伎則知

止々伎是古言矣多識編以訓沙參雖其訓出於後世是古言之傳流人口者俗多都利智称草又止々伎人參

又桔梗毛止伎近道處々有之旧根春生苗初生如小歎冬葉而著

細齒似桔梗而兩々相對高二三尺或三四葉相對又有互生者有細

葉者秋間梢上開小紫花成鈴鐸狀又者白花者其根似人參淡黃

白色本文味苦而今味淡是物之差也知母二合声與參近一名苦心

一名識美似與苦參混

白兔藿 旧說以為伊計末一名夫須豆流一名阿止比加豆良蝦夷名

閉奴其葉似蘿藦及河首烏開白花結小角兒亦似蘿藦而瘦細

莖作藤蔓摘之有白汁根似葛根而味苦救荒本草謂之牛皮消

駿河富士下野日光陸奧諸山及蝦夷產之蘇注云交州用根不用苗

則非藿用葉苗者是然如牛膝烏尾皆因莖葉之似而得名

其用則根也此物亦宜用

徐長卿 加々毛（医心方○案結實似蘿藦子故得此名）比女加々美（新抄本草和名抄案比女細小之称美毛通音）波奈和良（弗號記○多識編波作不）俗名柳柴胡又鈴柴胡又柳葉細辛飛鳥山道灌山有之葉細長似柴胡又似柳葉兩々相對厚嫩滑澤開紫赤黄花結小尖角似蘿藦子而小根如細辛而黄色蘇注所云是也一種俗呼大葉者葉似小桑而凹餘與柳葉者一樣頌之所說而紹與本草所圖淄州者即是也

石龍芻 太豆乃比介（新抄本草新撰字鏡）字之乃比太比（同上）據陶注青莖有節結亦實臆是木賊之類郭璞注爾雅云鳧茈生下田苗似龍須而細然則龍芻苗當似鳧茈而大也又云藚如藚斷寸々有節陸德明藚音續經文有一名草續斷則龍芻狀當

如薑斷也近道一草生水澤其苗似烏苡寸々有節形如米粒經所載蓋此者也但古人用莖而保昇用根可疑也又有俗呼古呂介者似芫細小而無節陶注東陽作席者臆當是也今備後備中近江遠江種之作席可見龍芻固有自二種也

薇銜　大小二種其大俗謂之張良草其小謂之矢噌草又有破笠著救荒本草兎兒傘也葉亞槖吾而有缺刻大者高三四尺小三尺開黄花亦似槖吾其兎兒傘莖端作穗着花似兎督郵黄白色或帶淡紫色小異風草蓋是也蘇注敗醬曰葉似水茛及薇銜而蘇所云敗醬即葉如楡樹者亦足似知薇銜之葉狀然古之薇銜別是一物今之張良草葉與芫蔚白頭翁絶別本文采莖一葉陰乾則其艸應非肥大者

雲實　波末佐々介新抄本草　和名抄　此有三種吳晉所說蓋莧麻子之屬也陶注所云邦産不可得知也旧説以蘓注所云為蛇結以婆良一名加波良不智其本草茹蔓有刺類樾木高者一丈餘低者六七尺葉似紫藤而小又似皂莢葉開黃花又似紫藤而直莢長二寸許内有子大如莧麻新抄本草波末佐々介疑與此別或以鵄乃號豆元之

王不留行　須々久佐延喜式　加佐久佐新抄本草　和名抄○按加佐瘡也此物治諸瘡故得名須加奈久佐弗號記　新抄本草引釋藥性作流字古通用時珍之說非也此有數種陶注與韓保昇說不必同物蘓頌曰葉尖如匙頭亦有似槐葉者花黃紫色河北者葉圓花紅今邦産初生葉似瞿麦淡緑色長而起莖高二尺葉附莖而生兩々相值

如小匙頭異於初生花亦似瞿麥子殼如小酸樹子有五稜殼內
多細黑子頌所說者而紹興本草所圖河中府者是也今藥苗葉
花實皆可用誉草往年生道灌山故俗呼之道灌草近日絕無
延喜式山城等十四州貢之

升麻止利乃阿之久佐延喜式新抄本草〇根形似雞脚之義村家方外升麻一名雞脚暗與斯邦古訓符合
字多加久佐新抄本草和名抄止利乃都久佐醫心方〇都上脫保字歟止利乃保都即雞骨之義不然都
當作岀蓋壞字也於之久佐同上下野日光山近江伊吹山及諸州深山中皆産
葉似小升麻極多缺刻每椏三葉淺綠滑澤都以三枝九葉為
一朶朶間抽長莖開小白花頗似粟穗其根細而黑色陶注雞骨
升麻是也今俗呼止利阿之升麻者與之不同一名阿波由伎草其
葉九枝二十七葉為一朶花形大畧相似陶注新落婦是也一種

呼美豆不豆一名阿和保葉如地錦而根巨大外黒内白時珍所説
兒腺升麻是也其他種類居多不可枚擧也延喜式大和等二
十州貢之玄盅子引藥種論云升麻黒色上赤下今試嘗黒味苦
赤甘別録甘苦者混二種之味而言也本文云甘則神農之所收盖
赤升麻也白虎通王者所以巡狩者何巡循也狩牧也此牧字亦似
収之誤然荘保琛注牧與狩古音正叶據其説則牧収同用可也
漢書地理志廿四州収靡即升麻也収同升三字靡麻二字皆通
声酉陽雜俎建寧郡牧靡草可以解百毒建寧是漢之益州
牧字盖収之誤也

別羈 本草和名作羅羇證類本草作羅羇俱 別字出後人假借當作
鼈龜羈與藄通鼈龜藄猶蕨綦即芷藄也一名紫蕨爾雅謂之

月爾々々即薇蕨萁之訛轉而別枝亦鼈萁綦之訛轉也薇蕨萁綦原一類故廣雅以虌綦訓蕨和名鈔引崔禹食經云白普曰蕨奥主編

虌俗鼈字此从艸从口亦俗字也鼈字从艸原出爾雅及詩毛傳皆後人所加也玉篇又云蘩奠已列切蕨也綦綦也初生無葉可食

黒者曰蕨紫者曰萁綦然爾雅說文倶蕨訓鼈萁綦訓月爾其皃不謂之鼈則古者唯蕨萁綦二物耳郭璞注爾雅云蕨江西謂之鼈則鼈是屬江西之方言此合鼈綦二字以為虌綦之名者猶斧狗與杞謂之狗杞也又爾雅蕨其也指物之辭而二字倶一意可謂奇也和名引釈藥性云一名馬華是罵中字摩藏為二字也上恐缺別字說文罵中或从革依此說則罵中即羈之正文也一名別韡字書無此字必是韉之誤一名鱉馬草鼈罵中二字壞為三字也

牡桂　即水桂牡木音通猶蒲〻為英或作僕　瞿沐猴一名母猴駧〻
牡馬讀為牧馬也邦産無之旧以巖桂一名木犀擬之非也凡撰桂
皮不拘根枝唯辛甘有香為良此物雖邦産無之菌桂可以補其
缺古人云藥難代之品既有不代之人今以菌桂代之原是同臭
味何碍之有馬志引藏器云菌桂牡桂桂心三色同一物桂林桂嶺
因桂為名今之所生不離此郡従嶺以南盡有桂樹柳象州最多
味既辛烈皮又厚堅土人所採厚者必嫩薄者必老以老薄為
一色厚嫩為一色嫩既辛香兼亦筒卷老必味淡而薄者牡桂也
筒卷者菌桂也桂心即削除皮上甲錯取其裏辛而有味此亦一說
也大桂心之目出于靈樞非削除甲錯之謂心云枝云即声之緩
急即桂枝也後世不知此義深泥心字妄為鑿說不唯馬志也內

桂者皮厚狀頗乾肉故名之今藥固宜除去皮上用錯無辛味處也
佐藤成裕曰水戶城下安鉀村農士千右衛門園中有東京種五
六株樹極高大一木之陰足隱三人其皮之甲錯粗厚自然脫落々
存肌肉肉桂之目或因于此其皮雖脫枝葉繁茂冬夏青々其
香隨風馥郁是義公之植今千右衛門護之舊有十株今五六株存
桂樹之高大今所未嘗聞也千金方治喉痹不語桂末著舌下漸嚥
汁吐吸不成義玄益子曰當作噓吸謂氣息微少也枸杞條可并
攷

菌桂 字彙果香木之根曰菌引離騷申椒菌桂之文即今之桂根皮也然
古今注圓如竹為說則字宜从竹蘊注草字桂云筒字似菌其說
恐非矣多識編末伎加豆良即卷桂之義藥鋪呼爲文兆卷桂

者是也其皮薄而半卷外赤内紫或卷至二三重其味辛烈芳
香入藥極佳又有東京桂次形状相似味稍薄又有土佐桂即榎
也往時長澤道壽多称用之土佐矦徵為侍医故桂亦昌土佐之
目非藥必出於土佐諸州多出之上好者形状與交趾桂一様味亦相
似稍滞澁気其下者細大相混作棊草気此樹高二三丈葉似柿
而大狹有三道縱文實似櫧而黒三四顆作房下垂字彙所謂
菌桂是也今昔物語載五條東洞院桂樹之事投化人長秀採枝
為藥勝於唐来之物一種産近道者葉形頗同而背白實初白
熟則赤根皮亦作棊草気不堪入藥實黒者俗名太毛又太布
又太未乃伎又久須太毛葉背白者俗名之呂太毛二者並呼也布
肉桂矣交趾者種樹皮多培養之葉如竹栢而厚背黄褐色

其實比大毛則細小黑光或云西国多有之形状異常故漫寄冠交趾二字其東京種葉亦三縱文似蓼草而大求米或云吉子保中商船所上南京種也新抄本草別藥名苑一名菌董一名菌香又引陶隱居一名百藥使者唐宋諸家俱逸此名宜補之此下別録復出一草桂可謂贅多焉是菌桂牡桂柏葉桂之總称也與箟柏不必側柏同例陶以為半卷多脂蘇注或以為牡桂皆拘矣柏葉桂即紹興本草所圖桂花而今交趾桂也柏亦数種不唯扁柏側柏此所云指竹柏也其葉真似交趾桂故名蘇頌疑不作柏葉状是不知柏是竹柏也藥選桂即桂之皮也枝幹厚薄皆可混用總謂之桂又称桂枝不如直称桂枝之當按桂皮字始出此及木蘭注東医宝鑑以桂枝為統而心内枝等次列其下宜從之

松脂　乎加未都乃也介　新抄本草和號記乎作安　萬都夜介　和名抄　此有數種曰黒松曰赤松曰白松曰落葉松曰新羅松曰千歳松葉有一針多針之異其樹修聳三四丈多枝節皮厚而黒葉長大深緑者為黒松一名油松俗名於未都又名呂麻都其樹修聳相似皮赤而薄葉細軟者為赤松一名朱松俗名女未都又阿加未都此二者每葉兩針無處不有也樹似無異只葉粉白如霜相者為白松俗呼之毛布利生于山城大悲山又樹不甚高葉細小淡緑霜後盡脫為花落葉松一名金錢松俗名加良未都產於富士山日光山等故俗謂之富士松日光松其樹葉皆似黒松而作毬長大子如巴豆味甘美者為新羅松一名菓松俗名朝鮮松又加良未都　落葉松同名　樹極矮短經年亦不　大葉至細小者為千歳松俗名姬小松常

陸鹿島上野草津等出之又葉一針者近江唐崎下總古河相模八管山等産之俗名比止都末都古歌詠比止都末都者一株之義與此異三針者為栝子松又孔雀松俗名三保乃末都産駿河三保三保即三穗之義也五針者為五鬣松又作五粒以都波乃末都今通称五葉也七針者為七鬣松俗称千葉加良末都此数種有多脂小脂之別入藥則黒赤二松脂宜通用透明如乳香者為佳新校本草引兼名苑松脂一名樠引録驗方一名木明唐宋以降諸家説此名旨補之新撰字鏡樠莫奔反又木乃也亦之字典樠脂出魏莊子人間世以為門戸則液樠列仙傳偓佺好食松實能飛行以松子遺堯々不能服者樠松也前漢西域傳烏孫国山多松樠淮南也形訓沅涂土淵出樠山時珍引孫思邈云松脂以衡山者為良衡山東滿谷所出者與天下不同滿字誤當

从木尤傳楚王卒子樠木之下蓋松樹也又明字有眠音則木明二合之轉當近樠声也字典載樠字云音两松脂也元是樠之壞字妄造反切可謂無識矣本草綱目及盧復本疽上有㿙字此物為外科要藥自古而然妄盡子云湯火傷痛或潰乱成瘡萬安方云綱目不載

槵實 患介須乃木乃實 [illegible] 患牟之由乃實 勅號多識編記 人家庭際種之木有極高大者葉似苦参而青緑梢上及夏別抽枝開淡黄花如胡枝花其實作莢似苦参而連珠長二三寸中有数黒子一種有櫰槵者俗名以奴患牟之由葉似紫藤稍山花後作莢大抵與前同唯莢汁粘如膠為異種杏仙方槵膠是也櫰槵同声爾雅連此二字為葉大而黒者之称恐誤其葉大者即櫰

之一種勅號記伎不知蓋指此也又有守宮槐其葉晝開夜合也別録擣取汁銅器盛之日煎世人以為日煎出于嗢蘭人殊不知本草已有此制

枸杞 奴美久須祢（新抄本草　和名抄）久古（勅號記　即字音）人家園圃以為藩籬形状如蘇頌之言而茎有刺延喜式安房等二州貢之今無處不有一種俗呼寺久古者其葉稍大而茎無刺實圓如櫻桃即時珍所謂甘州產其美如蒲萄作果食者于嘗培之園中經年繁茂長至丈餘常採葉為茹又採根皮子等以療骨蒸勞熱眼医遮睛者其力全與藩籬間初一樣更無優劣也大田澄元曰枸即枸骨之枸謂有刺者綱目叙名可保見也圖經有刺為枸棘無為枸杞者蓋宋時俗間之稱與本經相悖宗奭言

拘杞杞棘徒労分別其言可従按拘杞無刺之説出閑窓本草浸疏條然蘇頌亦称其名也宗奭云杞未有無刺者雖大至于成架尚亦有刺但此物小則刺多大則刺少正與酸棗棘同例實一物也拘杞拘棘為一者其説甚好然馬志所謂無刺者一種不問本之大小生来絶無刺者宗奭不之知妄言未有無刺者則疎矣新抄本草引神仙服餌方花名都吾子名去丹古来本草家亦未知也又引太清経一名象柴一名杖靈皇衍義中　盧盖杖靈皇之誤象柴亦古音通

柏實　比乃美新抄本草　○比火也　此本兩生相摩生火　加倍乃美新抄本草　大同類聚　通扁柏側柏而言扁柏俗名比乃木而側柏即萬葉集児手柏也時珍曰柏有數種入藥取葉扁而側生然據爾雅柏一名椈及此云比乃美則

古人所用者扁柏也此木從身直三丈葉與佐和良一樣作毬結子亦相類扁柏葉背面俱青而佐和良面青背白其初生雖別扁柏枝易折佐和良柔韌難折為異作柱作器俱是良材產信濃飛彈土佐等一種阿須波比俗名阿須奈良布葉似扁柏極大江漢縣志四維漢柏是也側柏多識編云曾波多禾人家庭園栽之葉似扁柏而側向成片春月梢間生細小黃褐花實作毬霜後四裂衣中有數子子性味畧同宜通用之一種俗呼千手醫家叢讀柏數種根上發枝數莖叢茸茂密名千頭柏又名佛手柏是真側柏是也

伏苓　末都保度　新抄本草　和名抄○日本記訓　末都乃保也　勅號記張字為保度此猶云松之張囊也　普救類方○保也元寄生之日言寄生於松根下也　今通稱字音延喜式貢国二十七令不

音是其他諸州出之多生雄松之下紹興本草所圖西京伏苓也
邪人採法大抵如蘓頌所說其擬經歲月而株生木耳又胡孫眼則
知下已結伏苓當以五六七八年為期也摠如拳大白色堅硬為佳
年淺者嫩小雖有不備又陰埋數十年至大至重者却為少力酉
陽雜俎載沈約謝始安王賜伏苓重十二斤八兩表斯亦有大於是
者常州浮島土民掘采其地者重十八貫弱狀如小山鬱帛之佐倉
藥舖大得價金云又有生雌松者形色一樣即其術所謂松樹赤
者下有之者而紹興本草所圖六兒州伏苓也又有栽蒔而成者本
經逢言蒔苓出浙中但白不堅入藥少力物理小識擠松柴種苓
者留椿三尺切伏苓置根下其松氣液不上則下注五年遂如拳
注採者椿上揭皮易閲內有白膜則知下已結苓是陶注假研

松作之類也斯邦從来不待栽蒔而至多其品勝於海外故商舶毎
歳載入於唐山陶注小虛赤不佳者活松所結形小而虛不堪入藥
之類也圖経載草鉼法山之陽者甘美山之陰味苦斯邦不然山南
山北皆同氣味且本藥元無赤白之別只一種耳年深則変作赤色
香附子亦如之嫩則白而老則赤今藥鋪所賣赤色者亦不與之
同暴乾失法藏之櫃中濕鬱所致已鄰腐敗他香附子勺藥之
類皆或如此不可不擇

楡皮 也尒禮 新抄本草 和名抄 以倍尒禮 医心方 尒禮 勅號記 俗白楡謂之波留
尒禮椰楡謂之阿伎尒禮其生莢也白楡在二月而椰楡八月
故也二樹並高一二丈大抵相類似欅樹葉而小亭鋸齒其莢似
錢極小色白成串宜通入藥本文單言楡則通二樹者明矣陶

以為櫛榆蕿以為白榆拘矣斯邦白榆小櫛榆多延喜式美濃貢之者盖櫛榆也新抄本草引七巻食経一名還榆還即環假借

酸棗、須佐奈都女（新抄本草 勅號記）佐祢布止（新抄本草）俗名佐祢布止奈都女又加良奈都女諸州往々有之大和金剛山摂津大坂安藝廣島殊多其樹頗與大棗相類只莖多刺葉有鋸齒為異實比大棗稍圓初青而酸後紅而甘可食入藥當以青為佳其仁比大棗稍圓而扁頗似大蝟陶注山棗樹子今不可知

檗木 木當作皮使波大（新抄本草和名鈔 新撰字鏡）諸国中有之延喜式所載土州其他信濃之木曽下野之日光甲斐之郡内陸奥之會津大和之吉野等出之形狀如蜀本圖經之説（禹錫云高數丈葉似吳茱萸亦如紫椿皮黄）

結實似五味子初青熟黑俗名之古乃倍以味苦從前以為殺虫之劑一種以奴伎波太多識編俗名女岐（療眼極好故名）與呂比止乎之又古加祢患乎之由諸国山中有之高四五尺枝葉繁茂而有細刺葉如枸杞而細小春開淡黄花結青細實秋変紅色根小而皮黄味苦陶注小樹多刺者而蘇注刺蘗是也此子至春紅復変黒又有絶無刺者唐本所附小蘗是也彼蘇注子細黒者蓋指經春而熟者也後世諸家所用皆是木幹皮以予觀之根皮極鮮黄味亦至苦其力勝於幹皮宜入藥為上故曰華子曰身皮力微次於根婦人良方姙娠下利晝夜三五十行方中用根皮最著所見本文所載諸𤵸古今方書皆主用之

乾漆 字留之（和名抄 勅撰記）潤澤之意今之乾柒即漆桶内凝乾者如

陶注所云不是夏至後採乾之物也此樹近道山野有之高三丈葉似椿梢短而無鋸齒一經霜後紅赤可愛夏月梢上作穗着花似樗後結小實形圓而扁分破其皮則白汁流出須臾而黑以竹篦刮取是為生漆關東及奧羽出之俗名世之女髹漆物黑色甚美入藥為上日向米良產次之大和吉野者性稍緩只可供漆飾之用其他諸州多出之又有波世者葉似而小近道多有其子可搾為蠟一種金漆樹和名鈔本類古之阿布良乃木引楊氏漢語抄膠漆類引閩元式今不知為何物明一統志朝鮮有黃漆樹似棕六月取汁漆物如金時珍曰廣浙中一種漆樹似小榎而大按櫝榎同楸之一名形狀與一統志不合未知孰是治漆鑿方保々乃本前洗之

五加皮 牟古岐（新抄本草 和名抄）宇古岐（和號記 多識編）人家往々植以為藩蘺柟枝亦沽形狀如蘘須之說然邦産時有黄花者四葉三葉者少曰華子云葉治皮膚風可蔬菜食邦人採嫩葉煮紋去汁合燒味醬槝合謂之切合或曰乾以代茶一種兒宇古岐葉極長大強硬不堪食入藥通用無妨也新抄本草載五葉五家等名

蔓荊實 波末波比（新抄本草 和名抄）（蔓延于海濱之義）波末波不（多識編）俗名波末加都良又波末之岐美又波末波岐延喜式若狹播磨貢之新抄本草殖近江国已上諸州今亦有之其他駿河相摸紀伊等海濱砂地極多蔓延長二丈餘短三四尺枝葉對生葉似胡枝花而大面青背白風來反翻如雪梢間作穗花似牡丹稍大深紫色

黄蘗青蔓結實如胡椒而紫黒色矣紹興本草所圖眉州一枝五葉者是牡荆俗所去人参木古二荆相混陶注牡荆云子如烏豆大正圓黒蔓荆子殊細如小麻子亦要易彼是本文小荆實亦等即指子小之牡荊呈行云牡蔓声近皆混説也牧即本義木生即對蔓生之目

辛夷 也未阿良力岐（新抄本草 和名抄） 古不之（勅號記） 古不之波之加美（和名抄）

近道處々有之高二三丈枝柯繁茂夏間枝上結苞形如筆頭經秋冬至来年仲春苞中抽英開大白花状如木蘭中有紫心黄英花謝而葉生亦如木蘭而小時或結赤實大如南天燭子又之夫古不之其花千瓣婆娑如白幣又白木蓮花似木蘭白色帶青時珍所謂呼為玉蘭者是也九月采實者指花苞而言別

録去心及外毛是也其花未發時苞如小桃名医漫謂之實也
藾注去毛用其心誤與別録及矣身體寒風々證類作熱
桑上寄生 久波乃倭乃保也 新抄本草勅號記 久波乃也止里木 多識編。寄生和名鈔夜止里木入保也 俗名止備岐隠岐出雲肥前薩摩等有之生老桑樹
上根在枝節之内葉兩々相對似柳而厚子實似南天燭子初青熟
淡黃破之有粘汁今藥舗或混胡孫眼代用應無妨碍也一名寓
木和名鈔作寓生爾雅有宛童之名新抄本草引兼名苑有
附枝之目矣生松樅上者葉似柞而狹長實如小豆初青後紅
甜一種也志也備志也久一名木宇之一名天乃宇女生深山樹上
似木比與止里上尸髙二三尺夏月葉間開五瓣白花似梅實
長五分許有毛刺似枲耳味酸玄蠱子云其實婦人染藍代

五倍子見松岡一家言奥州岩城土人煎服治疝氣腰痛生研碎加
麻油塗白禿瘡與本文主治髭鬚相類、

杜仲 波比末由美（新抄本草 和名抄）由美乃伎乃加波（勅號記）俗名末佐伎
又多末都波伎人家園圃以為藩蘺高八九尺或丈許葉如茶
兩々相對經冬不枯春開花似衛矛後結實如南天燭子至秋四
裂中有赤子福田方邦產白絲葉形與本草合又皮薄比之舶
來則劣是也一種有作蔓者所謂波比末由美是也舶來與
陶注合似厚朴而茶褐色折之多白絲種樹家培養沽本葉似
山茶而有鋸齒長三寸與末佐伎異其經年足以作屐或末佐
伎雖數十年細長如箸盃一種之瘦小者耳太田澄元曰伊豆大
島有與唐來同者土人未知采市

女貞 美也古都伎 新抄本草○大同類聚 有同名而物異 多都乃岐 新抄本草和名鈔○医心
方岐下有乃美二字 多都乃伎牡荊同名也新抄本草牡荊蔓荊
同條而蔓荊訓波末波比牡荊無邦言其甘蕉根條新五葉
苺之目猪苓條溭槲之邦言以此推之多都乃伎即牡荊之比女
名蓋錯簡也和名抄亦訓本條者襲新抄本草之錯簡也
都波木 和名鈔引 漢語抄
毛知乃木今從多識編併以為女貞之名爾雅楰鼠梓郭璞注楸
屬也今江東有虎梓陸璣疏其樹葉木理如楸山楸之異者謂之
苦梓依此則鼠梓比加伎女 勅號記○比佐加伎之畧女謂雌也與
以不稱須美毛知
誤言樹葉似龍眼 俗名稱須毛知又以奴都波木又也布都波
木故也
木人家庭中植之高丈餘枝葉對生葉似龍眼木黑色無鋸
齒凌冬不凋夏月梢間作穗開細小花五瓣白色實如小豆初
青後黑一種有毛知乃木皮白葉互生頗似毛都古久而稍大
實如女貞正圓微大初青後紅即蘐注冬青多識編訓阿加

美乃祢須毛知是也又有不久良毛知一名布久良之婆乃木一名佐也期小野蘭山曰田舍間採皮葉以染赤色山城大悲山民呼之佐也期染即藏器葉堪染緋是也其他種類殊多

木蘭 毛久良迩 医心方和名抄○即字音也 俗呼久毛乱迩音之轉也

抄本草並云大宰府貢之今人家庭中栽之高八九尺春生葉似楠闊大又似柿極長夏每枝上着一大花形如蓮而瓣長外紫內白有香気紹興本草所圖春州木蘭也 旧本春作韶誤今蘋注 依蘋須說改之 似菌桂葉者紹興本草圖韶州木蘭是也陶注山桂皮恐亦一物也時珍曰深山生者尤大可為舟花有紅黄数色邦產紫花一種耳一名杜蘭蓋牡之誤牡木音通說見牡桂下

蕤核 皆是舶来故無邦言寺島良安曰和名抄訓太良非也太良

是本草拾遺摠木也今有一木生山谷中高三四尺葉小而圓長
似黃楊又似枸杞而厚九月子熟色赤枝葉間多細刺鳥不來集
故俗呼鳥不止者蓋是也此木種樹家謂之加牟古乃木葉團
長狀似冏金而細小故或名古波女牟乃木也太田澄元曰箱根山
中有大鳥不止者叢生二三尺葉似柿而相對或三四相對葉間多
刺開淺黃小花實似枸杞五味輩必兩〃相對下垂是為真也
吳普一名莫是新抄本草引欲藥性亦有此名諸本草遂之出池
澤綱目作平地又藥性論一名白椹疑白梭之誤也

橘柚　見于橘譜

髮髲　說見于髮髲孜女盂子云古寫唐本草殘本髲作髮古
本神農本草經為其字者可知也陶蘐之注後人改易文字遂

至不可讀也素問繆刺論尸厥鬄其左角之髮方寸燔治飲以美酒金匱方論亦述此事若髮既禿或不可鬄則宜用鬚如唐太宗故事可也経既有此一種而名医復益亂髮可謂剩也如欲逐一條出則鬚亦應不遺然則愈加愈剩此一種而足矣

龍骨 多都乃保祢 新抄本草 物號記 延喜式安房太宰貢之太宰或係舶渡安房之産今無採者一種出上總往歳上總州某村長某掘地得石叙之大夫安西源大夫買之命予鑒定其石長尺餘廣可四寸厚六七分外淡黄褐色而内白帶微黄其黄白之際有一道白堅石其内白及淡黄之處舐之着舌而白堅石則不着予斷曰龍歯也天房之與總地相隣比總既有此物則房亦必出之一種常陸笠間産行越玄通云烏山侯臣有石井平作者庭中一化石合抱高三尺餘初平作笠

聞今其在鄉也山谷中得之藥鋪山田多兵衛云是龍骨也若賜之我當以七兩金為報平作聞之殊以為珍不敢賣一種出江戸城西志村智孝云猶房安藤侯邸穿井得龍骨數十枚智孝乃著龍骨辨一卷依此觀之龍骨所在有之藥鋪所市為讃岐小豆島産漁人以網采之頭角或具嚴然質甚堅重而色如鐵打之作金声即黑龍骨也白龍骨舶渡者多然中混木化石及他石之似者不可不擇箱根山中有蛇骨者他州亦産之狀如大蛇骨而白色虛脆其堅延打之亦作金声即白龍骨也從前邦人細末為金創止血之用矣龍骨原是石類以其似龍骨故古人命其名耳本草彙言倪朱謨云本經死龍之骨陶謂蛻化之骨後之臆度辨訟紛〻未甚惑間嘗過晉蜀山谷訪所産之處岩石

稜峭谿徑墳衍則有礧々如龍鱗隱々如瓜牙者隨地堀之蓋皆龍骨豈眞龍之有若此之多而又皆盡積於梁益諸山也要皆石燕石蟹之倫蒸氣成形石化而非龍化耳朱有見於此不敢不爲置辨此說所謂詳明也陶注龍胞蘇頌所引醫中方龍胎今不可知也小兒驚癇千金翼異驚癇部骨齒角並用之千金方載神農本草經說小兒驚癇有一百二十種今經無之古本之逸文也

麝香　絕無邦產不啻邦無之漢土亦無之寺島良安曰文祿三年七月泉州堺商納屋助左衛門到呂宋國還得麝香二匹獻之關白秀吉公又曰雲南者爲上東京者爲次福州南京又次之且僞數品雜明膠麝香最上有皮膜裹之一箇重自五錢可八錢一種無皮膜如煉餘者名曰傳涂麝香共赤黑色而有乾者濕者其香

亦有異同相傳鯨屎或朽木為末同麝臍盛器置陰處經歲月
拔取臍膶令香傳染最下品也以臍搽碎與木粉和合者為中品眞
臍搽碎者名臍傳染是為上品試法燒火無灰其香不変者上也
大概茂質曰麝射形狀色澤如兆鹿長三四尺近陰部垂囊大如雞卵
其內空虛血常灌注有時血凝則別生一緒膜裹其凝結即香
也所産諸国秋冬多雪不解数月麝射無所食飢餓日久迨春末
雪消嘆飢之後縱啖以逞貪饕血液泛溢流歸囊中遂成此香
故得之必在春末夏初土人獲之連皮膜剝其囊傾出凝血在上
暴乾候其乾燥如粉成黯赤色再貫諸皮膜中貯以貨又
有凝聚之液変為膿腫者麝不堪痛痒自觸木石以別裂
之膿血之淋下者為日光所乾結以成香色帯灰白是為下品

然則此香成于獸之腫瘍此說西医別里坔力伊書中所載云々謂此獸亜細亜洲之所產則漢人之說皆出于傳聞則西医之言意當不虛雪後之說與春分取之似矣且香有優劣則種類亦當不一傳聞往歲蠻船所輸貯之壼中汲引以枚邦人異之彼嘲云邦人不知真麝是酉陽雜俎所載水麝香之屬歟今時藥鋪所市多附白毛者以白毛皮裹之好者殆布本草集要當門子麝香中如小豆作丸者是也東医宝鑑破者有顆子者當門子也新撰本草牛角腮條引藥訣有陰獸當門之名則當麝之陰門之謂歟玄孟子云尾針以紅糸刺之并其裹貫透之際糸忽變色者爲好品是中古医家試法之一也医学綱目有四味臭之名竊疑非合四味之臭物而造之耶

牛黃　宋史宗澤知萊州使者取牛黃澤云方疫癘牛飲其毒則結為黃今和氣流行牛無黃依此言則黃為牛病李時珍之說可並按也小野蘭山云商舶所載來其形円小如木患子又如豆粒蒼變粹色深黃析破之則內亦黃而有細小白点重疊作数斤頗似鮮苓其質輕虛而微香其重者下品也揩指甲黃染者為真如蘇頌說也偽者色雖黃不成片重而無香氣及白点是蒲黃浸成膠水所成也本草原始真者有宝色有層次體輕微香偽者也無光彩體重本經逢原置舌上先苦後甘清涼透心為真斯邦近江州出之藥舖呼真牛黃是也比之舶来稍大至二三寸又有帯微黑色者析破之則層次白点體輕有香氣與舶来一樣生縣牛之心肝膽中大小数枚色在一皮裏中故有□有扁有稜者

邦人剖死牛取之初皆黄㵎乾則成堄也多識編訓宇志乃太末一
種　頷毛堄俗呼牛玉再訛呼牛王浮屠尊崇此物比之靈寳圓
而大寸餘長毛相聚而内有磈色随其身故有白褐數種即牛
䐢也多生水牛色白者俗呼白狐玉又有以他獸尾造者又有堅
硬大於無患子者與本文絶別時珍曰犑牛小而水牛大斯邦亦有
二種犑牛訓伎多宇之（多識編此訓原下時珍曰北牛曰犑）農家畜之以助耕作牟
俗名久留末宇之即犪注㕞牟事物異名水牛一名㕞牟是也其特
牛邦言古恵（萬葉集。八雲御抄作古止為）
熊　久萬（日本記新撰字鏡和名抄）其脂久末乃阿布良（新抄本草和名抄）今藥鋪
所賣白色光明者佳江戸市中每冬有鬻此脂及肉者或以野猪脂
肉贓售宜詳審焉此脂今為皸裂凍瘡之傅藥與本文頭瘍白

禿好䰠相類其風痺不仁筋脉急以予觀之恐是肉之所司而非脂也
食医心鏡脚気風痺不仁五緩筋急又中風手足不隨並用熊肉
可以見也其腹中積聚寒熱羸瘦蓋膽之所司而非脂肉之所能
也然李氏亦每日用之試切則本文是似從説肉與膽與脂之能者不奇
不察也此獸今多出信濃越前加賀奥羽等時珍曰春夏臕肥時
每升木或墮地自快俗呼跌臕多識編久萬阿曽毗莊子所謂熊経也冬月
蟄時饑則舐掌故其美在掌謂之熊膰和名抄久滿之太奈古々呂延喜式
美濃貢熊膰是也斯邦之熊胸上有白毛狀如偃月俗呼月輪常
以手掩之獵人窺其處而刺之不然猛烈不可當諸家本草未載
此事延喜式美濃信濃越中貢熊膽今其他諸州亦出之膽有琥珀
様漆様豆粉様之目大抵皮薄透明為上試法燒之成硫黄臭滓

脚無遺者為上称蝦夷産者時混大奥之膽不可不擇也新抄本草引崔禹錫羆熊一名猳羆注似熊頭長脚高猛悪多力（爾雅郭注悪作憨）爾雅羆如熊黄白文詩大雅赤豹黄羆陸璣疏有黄羆有赤羆羆大於熊其脂白而粗理不如熊白美又爾雅魋如小熊竊毛而黄郭注俗呼為赤熊皆是一種也和名抄羆之久萬（白熊之旨物茂卿以内為罒之説非）俗名伎久萬（黄熊之意）又於保久萬（大熊之意）蝦夷地出之喉下無月輪毛黄白而極大至入厩盗馬而食之其膽亦大然帯腥気其地亦産青熊白熊及黒地白章等種類頗多云

白膠　加乃都乃々加波（新抄本草和號記）近時舶来形凹而色不白疑陶所謂與乾牛皮同煮雷公醶醋再入酒或衛生方入猪膏蝋而作者也既謂之白膠則其色白者必矣入藥須自製為佳医燈續

焰載嫩鹿角不拘多少寸截浸水數日去粗皮入磁鐔中包固再坐大鍋中隔水煮小乾旋以温水添足不斷火三晝夜視角酥爛汁稠濾去角用滓將汁入錫鍋或磁鍋桑火緩々熬收不住攪動至滴水不散用銅杓挹入磁器中冷即成但角堅硬必煮一晝夜搗碎再入鐔煮收如上憶古人所製應如此法仁齋直指方有赤色白膠命名不通

阿膠 尒加波 新抄本草和名抄 字之乃尒加波 勅號記 牛皮膠也鄉產亦有清濁黄黒之別正如陶說也其黄色透明者謂之美豆尒加波 外臺秘要引門方有水膠之目和漢同意時珍云黄明膠即今水膠但非阿井水所作耳切用亦與阿膠彷彿陶所謂清薄是也今東都下亦能作之之語宜玩味也 又須佉尒加波此蘇頌黄明膠也火炙作小圓粒謂之玉尒加波世人以是代阿膠用 黄明膠鄉製數種長一尺廣一寸許肆上謂之廣透亦有上廣中廣之

別長九寸廣二分許謂之千本俗謂之美豆介加波長一尺廣一分著謂之三千本皆入画家之用其濁黒者謂之都岐介加波民間以膠物者雨陶所謂濁者不入於藥用是也邦製二種一云黒上透長八九寸廣二分餘一云黒中透長六七寸廣六七分厚二分許時珍曰取生皮水浸四五日洗刮極淨熬煮時々攪之恒添水至爛再熬成膠傾盆内待凝近盆底者名坌膠即陶所謂盆覆膠也多識編作覆盆阿井水真造者雖唐山難多得故藏器曰人間用者多非真藜穰頌曰阿井水官禁不真膠極難得都下貨者恐非真物今時呉船所輸數種者硯様櫛様筭木様角様圓様等之別其中不無好物然不知真阿井水造否也

丹雞　𡰪藝案曰已下說見于動物畧及穀蔬譜此不贅鳥中卷末亦如之

雄黄 倭介 新妙本草 云出伊勢今呼字音續日本記文武天皇二年伊
勢獻之今伊勢飯高郡丹生村及似甚堅津輕等有之丹生村者
形極小而似甚堅者 塊稍大也陶蘋注中雞冠色者世称雞冠石
邦產不易得

石流黄 由乃阿加 新抄本草 俗名由乎宇 續日本記元明天皇和銅六
年相模信濃陸奥貢之延喜式信濃下野貢之今此諸州及其
他亦多有之其色深黄光膩握之當耳則颯々有声者為上時珍曰
舶上倭硫黄亦佳珣曰蜀中雅州者切力不及舶上者諸方書稱舶
上硫黄者皆指邦產也本邦出硫黄処大抵有樊石則錄樊石液是
之謂乎一種土硫黄俗名由乃波奈相之箱根野之草津等最多如
土而淡黄色古人所謂由乃阿加蓋指之也南都賦李善注引硫字

笊牧羊山作陽字

雌黄 續日本紀文武天皇二年下野獻之新抄本草出備中国医心方亦云出備中国芳賀郡今越後蒲原郡出中産之其下野備中不聞採者也玄虫子云藥種論鑑定法楚之葱白大者為上一種雌黄者即藤黄是海藤樹脂也西家供設色之用勿誤混之

水銀 美都加祢 新抄本草云出伊勢本邦亦有生熟其生者伊勢飯高郡飯野郡等出之然至寡勇白銀折承曆元年宋国答信水銀五千両古者其多出者可知也後世不用邦産皆資熟者於長崎大坂等殺皮膚中虱蟲今世為殺虱之用鎔化為丹師銀朱也汞後世以為輕粉依陶注燒時飛著釜上灰也故千金方曰湏粉是燒朱砂作水銀上黑煙也

石膏　之良以之大同類聚方今産越後笠岡及山乃下者最好石見国亦出之三州所産味辛與本文符細理白澤與別録符文如東鍼與外臺符則入藥當擇此物也河内美濃尾張佐渡南部等産次之格致餘論石膏火煆細研醋調固濟爐苟非有膏豈能為用此兼質與能而得名正與石脂同意延喜式備中大宰貢之新抄本草同之然今無聞也大同類聚方石膏鑿山谷洞穴取之信濃国多出之今時信野乘鞍山嶽方解石極多未聞有石膏由是觀本邦古人所謂石膏蓋往市中以方解石代石膏者也元亀天正以降一溪學子盛行朝野医流咸遵丹溪氏之言無異議者

慈石　慈山名就産地為名猶代赭也今俗通称字音續日本記元明天皇和銅六年近江獻慈石今于浅井郡小白向村産之其他出備前国山

陸奥閉伊郡仙臺南部者能吸鐵信濃尨久郡美濃苗木山友
甲斐上野武藏者力稍弱矣一名處石疑当作盧盂一名玄石即不縣
銜者出玆石之地亦出之別録別擧一條非也玄云玆云元是同意而
寒温畏悪不同者人々師説之異也雷公曰玄中石真似玆石只是吸
鐵不得玄中玄水必是一物也玄盂子云玆二玄也字入先韻不合入支
韻

凝水石　蘓注所説是軟石膏時珍已辨之且云王隱君所説是方
解石今之藥鋪襲唐山石膏之説故所賣皆方解石也不文会生
山谷當是山塩之精也海塩之精近産行徳積塩日久其液凝細
土中而成状如水晶采以入藥雖山海不同療用不當有大異一名凌
水石凌凝同韻

陽起石　近江石部美濃赤松者上品相模箱根者稍夾礬石云陶注與峇石同處者是也五雜俎山東有陽起石煆為粉著紙上日中暴勢便能飛起為陽精相感之理固宜爾也

孔公孽　孽與蘖通芽蘖也此石有細小出芽之狀故謂之蘖此鍾乳之一種狀如牛羊角上有芽蘖中有孔通新鈔本草和名出備中長門雷　日凡使鍾乳勿用頭粗厚并尾大者為孔公石是別一物也

殷孽　孔公孽異稱同質有孔者為孔公無孔者為殷也孟子云孔公二合声與空近字書殷盛也大也盛大自有中實之意則空不空之義可釋也此物不必與鍾乳同生本文殷孽為鍾乳根孔公為殷孽根與陽起石為雲母根同例陽起雲母不必同處生也有涅

相結如石成藷蕷狀者　應是土殷孼也　釈氏裉元記云飛鳥山

出殷孼

鉄精　加奈久曽又加祢乃佐比（新撰本草）此訓與陶注異與蘓注異素永問

病態論生鐵落為飲讀落為酪則生字殆不通鐵久呂加祢敞

（類聚方）末如祢（古今集）元是一鉄本文何故立此三條別録復出生鉃

鋼鉄兪恵多兪恵晦

理石　形如石膏但長文細直如絲為異又有帯黌日者　陸奥閉伊

郡及南部河内金剛山或尾張伊豆相模等産之蘓注不似石膏

者唐時石膏與今異時珍既辨之

長石　加伎賀良以之近江方言保佐都以之　野方言由伎以之山城近江

美濃土佐下野南部等出之似石膏　堅硬有粗理起齒稜包也

明潔千金翼異馬牙石一名長石

扁青 疑當作盧青即白青之 蓋金青之帯黒色者也細日皇青

附録作緑扁日青不知緑字複出何等書耒

乾薑 保之波之加美 和名鈔 秋冬之際採老根以水洗過去皮切片日

乾即今去乾生薑者乾字與乾漆乾地黄之乾同例古人制藥

簡易必不如陶注陶所言是蜀漢人製法也延喜式諸國貢之今

藥肆所市多出其池云然欲色白石灰拌乾故不堪入藥宜自

製本文所説病症古今方書以為主藥生姜都知波之加美 医心方

和名抄云又礼乃波之加美恐是呉茱萸之名 誤入于此倭漢三

才圖會已有此説矣俗呼世字賀蓋字音之轉也 世字即生字 蘘香同蘘香

字俗問多如加讀 此物諸州並有之以供食料特眞之三本松絶宜務云一

種大生姜一名長生姜產肥前長崎因幡長柄等極肥大形彿
掌蘋味薄劣不堪入藥

枲耳　奈毛美 新抄本草 和名抄　於奈毛美 多識編　田野處々有之葉似
茄而不相對又似稀薟而莖圓有毛莖高三四尺七八月開小白花實似桑
椹而多刺葉枲耳卷耳原是二種廣雅云苓耳葹常枲胡葈
枲耳也此以本文之一名混爾雅之卷耳而復增苓耳之目嘉祐
本草以下諸家皆襲其誤更無別知者枲耳二合之音及常枲之二
合之音並葹為其一物可知也耳字與卷耳鼠耳之耳不同本草
綱目云葉形如枲麻故有枲耳之名非也麻葉與葹葉絶別
又常枲證類作常思詩卷耳有嗟我懷人句後人依此二者遂以
思為思念之思也殊不知常枲二合音葹也夫葹之名見于離騷

則本文當為葹實一名枲耳一名常枲說文無葹字其艸冠是
後人所加葹云枲耳云常枲云隨風生而異其耑也凡本草中以古名
為一名者不少白芷一名白茝赤箭一名鬼督郵之類可以例也離
騷云汝何博謇而好脩兮紛独有此姱節薋菉葹以盈室兮
王逸注薋蒺藜也菉王芻也葹枲耳也三者皆惡草以喻讒
佞盈滿于側者也葹實之刺似蒺藜故王注以為惡草卷耳
是小艸不盈頃筐可以見也爾雅注引或說形似鼠耳叢生如盤
廣雅無鼠耳近時以為耳菜草一名鼠乃耳僅々小草不可以
喻讒佞之惡草 則與枲耳為別物明矣且蒼耳之目始出蘇
敬古書無有是枲字之誤也云蒼耳三月以後七月以前刈本
文已無此名則蘇注常有即今蒼耳也或云枲耳今人謂之蒼耳

等之諸而今無其文則蒼是字之誤明矣嘉祐本草（醫類引 引）爾雅卷耳苓耳作卷耳蒼耳亦誤之大者也唐宋以下方書皆以枲耳称蒼耳世無知出字穫注之誤字者不患之甚也王安石篇葹舒移切卷葹草拔心不死爾雅有卷葹草拔心不死之文（葹音佩正文当作葹）故改葹作施以為一物是據郭璞注卷葹即離騷宿莽也其物與葹及卷耳絶別葹施混同誤之最大者也玄扈子云金匱方論宋篇有蒼耳之目者係于宋臣之改書

葛根　矩儒（日本紀 萬葉集）近道有之蔓生一二丈葉似扁豆三葉共一朶面青背白紫赤花作穗如紫藤而不下垂後結莢中有数寸似綠豆極細小穫注以本文穀烏根如牛膝甚長延喜式（山城伊勢）近江紀伊貢葛根安房上總若狹貢葛花今以大和吉野河内金

剛山及近道者為上冊波山城下野等産次之馬志曰根堪作粉亦吉野者為上他州色灰味劣也泉州府志俗呼土瓜種者取藤蔓之作團埋之則生苗也玄扈子云葛之為短儒古之字声而訓也果蠃之為加良須亦然他加重樓之止吉呂繫縷之波之倍良瓢之比佐古麹之布久倍五加之字古梅之烏女夜麥之曽波粳米之古女禾久阿和牟之無岐竹之　古蕈之阿志科之加波都蟬之世美蜂之波知蚚之計知比目之比良女鯆之加礼比蟹之加仁蝦之許比雁之加里鴟之止比雉之規志勃之波止兔之宇駒之古末狗之伊奴馬之宇末皆字音之轉此類不暇枚舉

栝樓　加良須字利　新抄本草和名鈔王瓜亦同此訓　近道雜司ヶ谷練馬及鈴森等出之苗引藤蔓葉如王瓜而無毛茸又似甜瓜而花白似牽

牛而葩如乱絲後結實如土瓜稍短生青熟黄根如甘藷三而相
連年深漸大一種筑後柳川有牛古宇利者葉青黒色如瓜蔞
而有岐細毛實亦如瓜蔞而青有竪紋根味苦西海道往々産
之本文所謂苦者指是歟延喜式伊賀近江丹波因幡石見播
磨紀伊伊豫土佐貢之今已上諸州及山城摂津安藝下野等亦
出之靈壽作蒻薽證治準繩括樓肥大結實者連子皮細切用
今人止用核仁非也説文𦯶蔞果蓏也从艸昏声上古君頡製字
時蓋𦯶讀若抵説文括从手昏声活从水昏声昏从口氐省声
又云抵从手氐声低从人氐亦声奃从大氐声讀若氐与又地字讀若
氐則地指原一声所以一名地摟也及至周時讀若會説文話从
言昏声有重文譮云籀文話从會曷貢括蒣栝柏之栝即亦

疋所謂檜之假借則與說文話之重文譜及衞風碩人活濊揭韻
相符

苦参 久良々 新抄本草 和名抄 末比利久佐 同上医心方比作止和號記 同為是末止利助取蟲之義俗名
狐乃佐々介葉似槐及黄著花似赤小豆淡黄色又有白有紫
其實長三四寸似蘿蔔角其根黄白長六七寸紹興本草所圖部
州種是也延喜式山城等十三州貢之今諸州極多玄盅子云予生長
医家探腹診脉茲有年所數十藥物皆是世之所通行未有出於尋
常者自愧歲已半百無一奇藥之應手慣心者一日讀夏小正云三月采
蘵自下釈云苦参也時偶暮春之季天氣融和寒暖適體甚盍
携童子非車步自于東至于王子游行終日采蘵三斤許提歸水洗去
皮剉乾或搗為末歲以為常本文諸症試用數回年復一年斯經一

紀本文所謂癰種不是俗間之癰疽唯微悪瘡者凡漏瘡之不乾者湿癬之苦痒者内服外洗其功時或驚人本文之外齲歯依倉公之上書食毒遵仲景之所傳無不有效嗟乎妙哉家語載孔子曰良藥苦於口而利於病其識之謂乎世人鮮知此能而今特得之六十年来貴栗雖多抑顧遺賢於中野庶幾免生徒之誚炎皇之祚乎也阜矣薬性論不入湯用蓋病者厭苦故医難之也不必拘焉儒門事親擇紫花者亦不必拘焉

當歸 於保世利（延喜式和名鈔 即大背之義） 字末世利（新抄本草和名抄 即馬背之義） 加波久佐（新抄本草和名鈔） 此有自生培養之別其葉並似芹而極大光澤深鋸歯茎紫黒色高二三尺茎頭成傘状著白花亦似芹但自生者根瘦細而味芳烈可以供薬用 培養者 形雖巨肥気味薄劣又有

葉細小而莖青色者亦屬自生也馬尾與蠶頭及多肉少枝者
原是一種故所増一種而各形〻叅生以大葉爲馬尾小葉爲蠶頭者
拘矣延喜式大和伊賀伊勢常陸武藏飛彈上野但馬出雲因幡
石見播磨美作備後安藝貢之今坙上諸州及山城陸奧薩摩
近江下野等出之大和本草 池當歸勝于唐山之産按當字疑地
名蘄注有當州之語歸與蘄通非以當州所産其草似芹得名乎古
今録驗下氣橘皮湯和劑局方蘇子降氣湯中有此物是治欬
逆上氣之症也綱目醫宣洗字此所擧病症古今方書皆以此爲
君藥博物志引神農經曰下藥治病謂大黄除實當歸止痛

麻黄 加都祢久佐 新抄本草 和名鈔 阿末奈 同上 俗名大水賊又河原木賊又
水木賊近水沙地極多形似木賊而細又似問荊而長是木賊之類

也延喜式相摸武藏讃岐貢之医心方麻黄出讃岐即今之大水賊也其他摂津丹波駿河等出之今呉舶所載中心實者邦産無之前輩以為雲花子非麻黄也震亨曰木賊去節烘過發汗至易時珍曰木賊與麻黄同形同性能發汗解肌本草備要同依此言則麻黄缺時水賊代之可也破癥瘕積聚五字蓋錯簡也

通草　阿介比加都良 新修本草 和名抄 近道山野有之一枝五葉其一个形似棗而長且薄枝間作穗開四瓣小紫花或白花結實如小木瓜味甚甜其蔓大如指經年者徑二三寸陶蘇所注及紹興本草圖海州種是也後世皆採蔓然本文云採枝且有附支之名則其用莖也延喜式山城大和貢通草今丹波安藝其他諸州多出之一種有至蔓相似一枝三葉者亦出近道即紹興本草所圖興元府種也又

一種延喜式宮内省近江郁子大膳式近江郁子二輿籠和名抄年閒
俗名止佉波阿介比又圓阿介毗茎葉都如阿介比只肥大而冬月不枯
今蒲生郡奥島每歲十月朔日貢之亦通草之類也時珍曰有紫白
二色紫者皮厚味辛白者皮薄味淡本経味辛別録甘二者皆能
通利錦囊秘録木通者葡萄藤也本草新編同之蘓頌曰為葡
萄苗者非矣今之舶来間雑葡萄此藤亦有細孔與通草一般代用無
妨往者友人園中有葡萄之枯子得其藤数斤試之通利之力覚與
通草一般玄盅子云丁翁二合即通声作王者非

芍藥 衣比須久須利（和名鈔引新抄本草）奴美久須利（同上）衣比須久佐（新撰字鏡〇勅號記）
（佐下有乃祢二字）山佐介（同上）比止久佐（勅號記）今通呼字音延喜式山城等十六
州貢之今肆中所賣者多出大和信濃伊勢丹波等人家植者

其花千葉單葉紅白淡紫之異品類殆百陳承曰本經生丘陵世多
用人家種植者乃欲其花葉肥大必加糞壤每歲八九月取根分削
因利以為藥根雖肥大而香味不佳入藥少效正字通方書芍藥夏
開花秋采根入藥單葉花者良白以花色分赤芍白芍或言根赤
乾為赤芍刮去根皮蒸乾為白芍玄扈子云爾雅翼芍藥制食毒
是古之芍藥而今之芍藥無此能也故一溪先生云芍藥主腹痛但食
傷之腹痛非此之所治矣一名鮮倉倉即倒倉之倉依爾雅翼為解
食之誤者非也傷寒論太陰為病脈弱續自便利設當行大黃
芍藥者宜減之以其人胃氣弱易動也是古之芍藥而今之芍藥
無此能也

蠡實 加伎都波太 新抄本草 和名抄 葉花頗似燕子花故誤以載此名實非

正名也俗名婆礼牟即馬藺之字音又称智阿也女其葉大略
似薤及建蘭葦而甚勁硬三月葉中抽茎開花淺紫色可愛五
月結實作角兒如蕪子花實中子小蘇注所云是也時珍引甬
雅荓馬帚依救荒本草則俗云女止波婺也與本條絶異喉痺
烏扇治之柔蝨實亦治之状之似者主能相似歟

瞿麥 奈天之古 萬葉集 新抄本草 止古奈都 延喜式 萬葉集 石乃多計 夫木集

山野向陽之地皆有之葉似小竹而細窄茎纖細有節高三尺稍
間開淡紅花單葉五瓣大如錢子㸃即陶注一茎細葉者是也但
斯地山野生者花多淡紅而不紫赤者風土之變也千金方小草瞿
麥五分斬之一種花大而叉極如亂絲紫紅粉白斑爛数色陶注花邊
有叉極者是也一種人家種者稍肥短葉似而微大花有紅紫淺

深又有白花蓋紹興本草所圖絳州種也此三者性味全同入藥宜
通用也陶注有毛花晚而甚赤者即斯云仙翁花也傳言其初生于
城州仙翁寺也時珍洛陽花徐南圃史正字通有異説可並效書譜
云草辨為石竹千瓣為洛陽花本文所列諸症古方書皆有其徵
大菊之目出爾雅似菊則有之大字不通徐南圃史石竹今人誤為
石菊似改大為石者然一名巨句麥則巨云大云必當有意義
玄参　於之久佐（新抄本草和名鈔）　佐治久佐（延喜式）　俗名胡麻久佐又比奈乃
字須花形如小臼故名近道處々有之春初旧根生苗葉似胡麻而
肥大兩々相對莖方亦似胡麻而毛茸秋作穗開小紫花又有淡
黄色者其根數塊大如芋生白乾灰黒即陶注及馬志蘇頌所説
昔而紹興本草圖衡州種也延喜式攝津等十州貢之今諸州極

多出近道者根極柔潤此爲甲品他方之產多堅硬不堪入藥又吳普所謂葉似芍藥四月實黑者蓋紹興本草圖江州種邦產未聞也玄參三合 轉近咸声

秦艽 都加里久佐新抄本草 和名抄 波加里久佐同上 延喜式下野陸奧貢令無識者韓保昇注蓼藘云葉似蘗鬖金秦艽蘘荷紹興本草所圖秦州者其葉正似蓼藘蘘荷葉心抽一莖着數花根作交糾今之舶渡當此之根也坊間所賣皆是舶渡根長大黃白色左紋交糾或右紋也紹興圖又載齊州石州寧化軍之產根形相似花葉大有逕庭享保中朝鮮來者葉似毛茛而肥大花如烏頭而淡黃與齊州圖相似根色黃黑交糾與秦州者一様前覺以爲牛扁

百合 由利 新抄本草 和名抄 左由利 萬葉集 俗名佐々由利又也末由利近道處々有之一莖直上二三尺葉互生似竹稍厚且有縱紋莖端開六瓣白花年深者著兩三花後結實如宇婆由利中有白仁似楡錢極薄即蘋注葉大花白者是也又之呂由利花正白色似佐々由利而微長具香氣入藥此二種可通用也又多米止毛由利花長大白色有紫斑点芳香龍鬢久徐南圃史天香百合也又姫由利此覓扶木集花紅葉狭長如柳是蘋注細葉紅色者也又鬼由利似姫由利稍長大花黃赤有紫斑点葉間結黒子以為食料者時珍所謂卷丹是也又黒由利花紫黒色出加賀陸奥諸山及蝦夷是品之奇者不知唐山亦有否正字通蘋求即百合白一名強瞿轉未新抄本草引兼名苑𦲂瞿一名百合𦲂是蘋

之誤文錯簡在合歡下

知母 也末止古呂（新抄本草）也萬之（和名鈔 醫心方）延喜式攝津近江丹波相模武藏播磨貢之此草無復識者今官園所養者享保中高舶所上葉似石菖蒲長二三尺葉中抽莖亦二三尺莖端作穗開淡碧花後結細莢中有三稜黑子其根橫生似菖蒲而柔潤有黃褐毛陶注所云者是也近時大和宇陀多培養之以鬻四方紹興本草所圖隰州種是也又衞州滁州威勝軍者邦産並不聞有之一名連母疑蝭母之誤一名野蓼紹興圖滁州種一莖直上葉似蓼互生應因此物也一名薚蓋沈燔二合之約声

貝母 波久利（新抄本草 和名鈔）俗名春百合又阿美加佐由利延喜式安房美濃貢之本郷森川宿岡崎侯別邸竹林中甚多春初宿根

生苗葉似百合而細小二三相對二三月之交莖高一二尺則莖上着六瓣淡黃白花亦似百合而細小其根有瓣如合兩具子即陶注所云而紹興本草所圖峽州種也享保中商船所上亦與此同一種產丹波大江山者花葉肥大根有數十瓣又一種宇婆百合一名牛旁百合一名葉百合一名山久和為近道頗多葉如牛旁而表裏光澤根亦似百合從前以為本草彙箋又象山貝母也蘇頌說葉似蕎麥者亦合之於宇婆百合稍欠穩當蕎麥本草蒙筌作大麥則別有郭璞所謂如韭者歟陸璣詩疏葉如栝蔞者紹興本草有圖似者而邦產未聞也一名空草及商草並當商草之誤

白芷　加佐毛知 新抄本草 和名抄　與呂比久佐 同上　佐波宇止 新抄本草　佐波曾

良之旋匡心 俗名山字止又字未世刑生廣尾原者 葉似俗呼美
豆岐佐以者 莖高七八尺花實亦與美豆岐佐以及當歸一様
今官園所養即吉子保中商舶所上形狀與都產同唯葉芳香
為異延喜式伊勢美濃等十五州貢之今伊勢美濃信濃南部
等出之正字通漢書芷陽縣史呂不韋傳作茝陽芷茝字異
義同又云爾雅莞苻蘺乃莞蒲草之莞本草并之芷下誤甚

淫羊藿 宇元岐奈 新抄本草 和名抄 也末止利久佐 同上 末良多計里久佐
和名鈔引漢語抄 俗名以加利草 又久毛伎利草 丹波若狹加賀伊勢紀伊
近江常陸下野伊豫等諸州出之道灌山飛鳥山亦有之仲春旧根
先抽花莖高者一尺低者五六寸莖端垂六七花形如鉄貓兒而淡
紫色又有紅白及黄者後別生葉莖每莖三枝三葉一枝俗呼三

枝九葉草 葉狀如杏或小豆而邊有細刺冬月則枯根為塊類黄連而鉅鹿鬚如草蘚也一種生奥州者 葉肥大厚強而面光背淡作穗開小白花四瓣黄蕊經冬不枯 蘇頌所說湖湘者也其他品類頗多仙靈脾是唐時俗稱 柳子厚文作仙靈毗 雷公曰採仙靈脾以夾刀夾去葉四畔花枝是指葉也 時珍似為根名恐非矣 玄盅子云漢藝文志序方技為四種曰医經曰經方曰房中曰神仙本草固多神仙之說而本藥及馬狗之莖等應是房中之說一名剛前使前陰剛之意

黄芩 也ホ比良久岐 延喜式 比良久岐 新抄本草 和名鈔 波比之波 新抄本草 延喜式遠江相摸武藏美濃上野貢之今無復識者 和名鈔列之木部則邦人古来所用者應是木根也 新抄本草元二種一則黄芩一則

苓草其波比之波即苓草也小雅呦々鹿鳴食野之苓陸璣疏云莖如釵股葉如竹蔓生澤中下地牛馬喜食之今俗謂之比之波即波比之波之轉也黄苓船來不乏近時多栽培韓種苗葉都似千屈菜葉有毛茸兩々相對作穗開紫花又有白花者根細長尺餘正黄微苦脂潤多

狗脊　於尓和良比（新抄水草勅號記）以奴和良比（新抄本草）久禾和良比（医心方）也禾和良比（勅號記）此草今無復識者時珍曰狗脊二種一根黒色一金毛皆可入藥呉普弘景所説是菝葜而蘇頌所説是狗脊也廣雅菝葜狗脊也博物志菝葜與萆薢相乱一名狗脊古人相乱久矣然菝葜萆薢狗脊三者功用不甚相遠也近世者一草呼利宇備年多比者又云薩摩世年麻伊此京出薩州方言

麻奈豆葉似薇西阜強根如狗之脊骨蓋黒狗脊也所謂金毛

属舶来邦産未聞有之

石龍芮 布加都美（新撰本草 和名抄）之々乃比多比久佐（新撰本草。勅號 記之々作字之）俗名多賀良之近水下湿地殊多葉似毛茛附子等淡緑光澤開黄花實如桑椹稍圓搓散則子甚細小即蘇注水堇而新撰本草布加都美也一種産大坂番場原者莖僅二三寸葉及花實全圓而細小即陶注葉芮々而小者是也蘇注以芮為實形而不論葉之大故以為水堇然本文味苦者畢竟不可知也時珍以爾雅苦堇併本條為一物而唐本草菜部堇菜為重出非也此二種原是一類只有圓葉長葉之別其圓者苦堇而長者堇菜也斯云須美禮（新撰本草 和名抄）形状與石龍芮絶別此草邦人詠歌其花之紫

色赤韈家一循時珍之說故知紫花地丁為須美礼而未知菫菜
為須美礼可謂不達本草之古義也

茅知日本紀和名鈔阿佐智萬葉集知加也同上茅根知乃根新撰本草俗名都
婆奈乃祢都是知之轉山谷原野隨地有之葉如稻而柔軟長二三尺別
抽花莖形如細旬謂之都婆奈兒女野遊拔採噉之根潔白如筋
甘美可噉又有菅者和名鈔菅字訓知也葉似芒花似荻蘓頌
曰菅根及藥與茅等古者菅茅不分故說文菅即茅通志茅
葉曰菅札氏曰已漚為菅未漚為茅見正字通陶蘋以菅釈茅義
必不謬方書屋上敗茅豈持茅哉兼有菅也玄盅子云知賀
夜是併菅茅之称萬葉集茅花肥人美哉此切宜為養老
之藥医林集要追風奪命散方後云骨蒸加絲茅根補虚

之力可以見也花根同力見活人書

紫菀 乃之 新抄本草 和名鈔 於尓乃之古久佐 萬葉集 之乎尓 和名鈔古今集 即字音

俗名於保之乎年人家種之三月生苗葉似羊蹄而大一根叢

七月抽直莖高六七尺莖頭攢生淡紫白花狀如傘延喜式

山城等六州貢之一種古之乎年似而細小開小白花即陶注白菀

也紹興本草所圖成州種蓋画其初生三四相連者也解州泗州

者郡產不知有之

紫草 无良佐伎 萬葉集 新抄本草 俗名称无良佐伎又乃止无良佐伎

今陸奧出羽薩摩伊豫播磨若河內讃岐遠江甲斐上總等出之

葉如旱蓮草而互生又似胡麻而狹小稍間開五瓣白花如梅

稍大結實每萼一二顆狀似紅花菜子其根細直紫色未花時堀

可入藥方書有紫草 茸義與鹿茸之茸同言其嫩苗也西京染家未必擇良草而天下推其色者其水至清故發色殊麗

敗醬 於保都知 新抄本草勅號記 知女久佐 新抄本草和名抄○医心方知上有久字 加求久佐 医心方 俗名乎止古女之春初生苗深冬始凋初時葉布地生似菘菜而狹長有鋸齒又葉多缺刻者為單州漏蘆樣者並夏秋抽莖三四尺每節相對生葉 其山巔頂攢蔟小白花狀如芹即古人所謂於保都知知女久佐而陶注葉似豨薟者是也一種產加賀白山者俗呼之毛美知婆乃女郎花一名白山女郎花葉圓而五岐頗如楓樹其莖比前稍短花只黃色即蘇頌注葉似水莨者是也蘇頌固不知陶之豨薟狀故以此為正也舊說萬葉古今女郎花為於保都知或以為羽衣草 乃古岐利草 皆欠詳審和

名抄引新撰萬葉曰女郎花女倍之又別載敗醬和名知女久佐可見於保都知女郎花原是二物也女郎花開小黄花雖與於保都知一類然旧説混合不可従羽衣草即上呂著實與本條絶別玄蟲子云源順詠女郎花云花如蒸粟 江談抄作蒸粟云未名不明何木也

白鮮 比都之久佐（新抄本草 和名抄） 延喜式上總下總貢之此草今無識者處々栽者皆舶来種也葉似呉茱萸山茱豆而極小作穗開花紫白色結莢如角茴香中有黒子似椒目其根色白大類拇指即蘋注所説而紹興本草所圖滁州種也旧説花之乃布或古末都奈岐並非

酸漿 安加々賀知（旧事記） 加賀知（日本紀） 保々都伎（新抄本草 和名抄） 奴加

都伎 新撰本草 生下湿地高一尺餘葉似水茄而小開白花陶注所説是也出丹波者 持檀 其名一種花實細小者 其房生熟俱青俗呼古保々豆伎即陳藏器小者名苦蘵是也證類附方誤混三葉酸草是加多婆美也與本條絶別

紫參 知々乃波久佐 新撰本草 和名鈔 俗名由伎布天又春止良乃尾見足尾等有之莖高尺餘葉似羊蹄而短小抱莖互生似俗呼都伎奴伎乙切草者作穗開花白色帶粉紅與莨參一般根皮紫肉紅白即蘇注所説而紹興本草一所圖晉州種也一種蘇頌所説似槐葉者即紹興圖徐州種也濠州者眉州者時珍引錢起詩名五鳥花者皆不可知也一種宿根先抽花莖長三四寸作穗開小白花後根頭生叢葉者亦出下野州等

藁本 加佐毛知延喜式新抄本草 佐波曽良之新抄本草○和名鈔曽佐字 曽良之新抄本草和名抄 今通呼字音春生苗一根叢生葉似芹而大又似園荽而稀疏茎紫色高三尺葉指茎而互生至秋梢上分数枝開小白花成傘状實似芹而圓長生青熟黄褐色根細如箸今出陸奥及駿河等延喜式山城等十一州貢之蓋此物也今官園所培即舶来種而葉與郷産一様但細痩為異人薬亘通用一種出伊勢鈴鹿山下野日光山信濃塩尻嶺者葉似前所言而狭窄全形如合芹数朶而為一枝者亦別種也

石韋 以波乃加波新抄本草和名鈔 以波久佐同上 以波之新抄本草 比止都波南勢記 伊和加志波同上 時珍曰生陰崖険罅処葉長者近尺濶寸餘柔靭加皮背有黄毛亦有金星者名金星草凌冬不凋一種如杏葉

生石上已上三種郡産皆有為不當三種有葉為三尖者又有呼乃

伎乃之乃布者細小生古瓦上蘇注瓦葦是也新抄本草引雜要訣

有木葦與瓦韋一般只生古木上耳

草薢 於尓止古呂 新抄本草 和名鈔 止古呂 和名鈔 近道有之蔓生葉似薯

蕷而肥大花亦如薯蕷黄白色根似菝葜而多髭鬚味苦帶甘関

西之人謂之江戸止古呂其於尓止古呂葉根倶強硬味極苦入藥當

以此為上也又有葉有歧者紹興本草所圖成徳軍種也又有細刺

者呼乞食加都良即蘇注有刺者是也延喜式攝津等五州貢之

今出山城安藝伊豫上總下總等

白薇 美奈之古久佐 新抄本草 和名鈔 阿末奈 同上 各呂女久佐 新抄本草 久呂久佐

和名鈔 久流奈 新撰字鏡 俗名呂久恵牟草又布奈和良又於保布奈和

良圖莖高二三尺葉似柳而濶短而々相對莖葉有白毛花紫黒色又有白者似徐長卿花而大結角亦如徐長卿角中有白瓤及子其根正如二薇所注而種類兩三並生日光筑波等延喜式伊勢等六州貢之蓋今呂久惠年草也

水萍 宇岐久佐 新撰本草和名抄 俗名杼宇賀米乃加賀美 杼宇賀米者鼈也此名與庚辛玉冊水鼈之名相似 又知也年知也年毛生池澤溝渠中葉圓厚而脆背有泡子開白花即陶注大萍而蘇注蘋也一種阿佐々 新撰本草和名鈔 葉比前稍長面青背紫花黄色即蘇注荇也一種葉圓如螺靨草而小下有白鬚根隨流往来有背面背綠者有面青背紫者即蘇注小浮草也一種阿加宇佐久佐状如扁柏而細小背面皆紅此綱目雜草類滿江紅也藥肆以為小浮萍誤矣又一種俗名波奈

加都美四葉相合中折十字即四葉菜一名田字草也一名水蘇証類
作水蘋玄盅子云藻種論浮萍采廣葉者王維送晁卿序扶桑
若薺鬱島如萍沈佺期詩向浦回舟萍已緑可見唐人之萍非小葉
如剖豆者也

王瓜 比佐久新抄本草 比佐古宇利乃祢勅號記 俗名加良須宇利與老鴉
瓜名義正同又多磨豆佐葉似栝樓有毛刺實亦似栝樓紅色今藥
舖中天花粉或此根造之原非異類通用無妨也一名土瓜據仲景書
當以為正名肘后方外臺秘要無王瓜之目

地榆 衣比須久佐延喜式醫心方 曾比久々佐新撰字鏡 衣比須祢新抄本草和名抄 阿
也安多年同上 俗名和礼毛古宇又乃古岐里草 蝦夷名年世宇
伎奈出近道者如陶所說莖高四五尺對分生葉殆如紫藤稍

上抽少叉技開赤紫花實類桑椹其根横生堅硬外黒内赤一種
花白者葉極狹細根直生柔軟又有紅花及粉紅者 紅花者根堅
硬與赤紫花者同其粉紅者根柔軟與白花者同又享保中呉舶
載来者葉本有小褶葉根則直生柔軟即救荒本草所收者也喎蘭
来者莖葉細小而色稍帶白入藥宜撰直根柔軟也

海藻 海草之總称不必指一而言猶海中諸蛤之爛殻謂之海蛤也
新抄本草和名抄以為迩木米新抄本草又混説於古 勅號記為奈
乃里曽皆拘矣其迩木米一名之末毛 新抄本草 勅號記 和名鈔云俗用和布
即今和加米也出志摩伊勢紀伊出雲等似荒布而青色薄滑春
時和醤酢或炙食之食物本草 裙帯菜是也其於古和名鈔引本朝
式作於期菜今俗謂之於期乃里出東海道及備前淡路等 圖

細如乱髪而黒色帯青長二三尺銅器者煑之則青緑色或晒乾為
白藻爾雅郭注海藻如乱髪藏器所謂馬尾藻是也其奈乃里曾
今俗謂保多和良一名多知毛春盤盛之多出西海南海道葉似
柳葉菹而細窄茎稍葉間別有細葉每節結小圓實似魚脬
生青乾黒本草原始所圖者而以陶注先挙之故邦人入藥多用此
藻津軽所産天年豆知毛葉大如柳葉粗實大如五味子即保多和
良之大者也一種比智伎毛此名見伊勢物語多出西海道状如鶏尾
蒼黒色短者數寸長者尺許和名鈔引揚氏漢語抄鹿尾菜辨
色立成六味菜六味即鹿尾之假借閩書南産志及漳州府志羊
栖菜是也一種毛豆久附石而生浮水上如乱絲青黒色長數尺出
阿波備前和泉安房上總志摩對馬等　和名抄引漢語抄云水

雲證類本草引拾遺云海藴雲藴音通今俗或用海雲二字是
也一種阿末毛一名須々討毛又加毛女乃於毗蝦夷名仁乃美又天牟
武仁（是係海草總称）似菖蒲葉而細長生青乾黒蝦夷所出長至丈餘
郭璞注尓疋曰藫葉似䪥而太生水底可食疏云本草海藻一名
藫藏器本草大葉藻也禹錫云海帯云似海藻粗且長然則禹
錫所謂海藻似海帯而細者今阿麻毛也一種布苔和名抄引崔
禹食経味淡鹹大冷無毒其性滑々然主九竅注布乃利海蘿是
也一種阿良女西海道南海道多出之似昆布而細小似和布而黒
色具縦皺和名抄引本朝式滑海藻俗称荒布是也一種久
呂女似荒布而無縦文極柔滑豊前小倉之産擅其名也一種加
智女俗称相良女遠州相良多出之故名之安房上總等亦

出之似荒布而硬味亦劣和名鈹引本朝式未滑海藻俗用搗
布字搗即搗末之意也一種保曽女一名美豆女又美豆和
加女出仙臺及南部似昆布廣六七分至寸許生青黄色乾則著
白粉皆昆布此藻亦軟可以汞物嘉祐本草海帶而東垣食物本
草海藻一名海帯是也名医別條出昆布比呂女新抄本草和名抄長
須女同上今通稱字音小者廣四五寸長二三尺大者廣尺長丈
餘蝦夷松前之産冠于天下黄赤者味美青黒者劣其他海州
數十百種不可枚舉其性相近則主療當無大差然本條無異善
甚辛甚酸之説特傳神農之苦耳以今嘗之不可言苦矣蘇頌曰
海藻根著水底石上黒色如亂髪而麁大謂之大葉藻是合陶
蘇之注而狀出一物及本草原始一名藫生此誤讀一名藫生

東海之文以生属上句並杜撰矣陶注昆布曰出高麗黄黒色柔
韌和名抄引此文韌作細藏器引此文亦作細故拾遺有陶解昆布
乃是馬尾藻之説盖出高麗者既経人作今制昆布也

澤蘭 佐波阿良々岐 新撰本草 和名鈔 阿加末久佐 同上 士呂祢 多識編 延喜式
大和貢之今生下湿水傍苗高三四尺茎方四稜葉似薄荷而有細歯
節紫黒色故有布之久呂之目節間開白花亦似薄荷根色白如小
指而長蔓延地中嘉祐本草地笋即澤蘭根而説出蔵器各
華子蘇頌所説苗茎花與此一般但根紫黒色如粟根為異也一
種比與止利草茎圓高二三尺葉似蘭草而狹長鋸歯粗毎節四
五葉相對開花成傘與蘭草同小野蘭山以此為莫呉普之説似
比與止利草然生山中而未見生下地水傍且邦人入薬多用之呂祢今

藥譜所賣澤蘭即之呂祢也一種接由彦者莖葉相似而細小
亦有狹葉者矣紹興本草所圖徐州者幽蘭之類而梧州者大
略似蘭草可見名同而物異也藝復頌不知此義混擧地名可謂疎
漏宗奭纔出土便分枝葉如菊者不知何物

防已 阿乎加豆良 新折本草 和名鈔 佐祢加都良 医心方 俗名阿乎都豆良又都
豆良布智 春生苗蔓延樹竹圖葉一尖莖葉有毛茸又有三尖
如牽牛子葉者其他異葉者亦多夏開細小黄白花實似南
天燭子而青色其根木強外皮黑肉白作車輻解即木防已也一種
於保都豆良又都多乃波加豆良似地錦而大頗帯黑色莖葉
無毛茸 葉有圓者扁者二三尖者四五尖者根虚軟長二三尺
徑八九分亦作車輻解與漢防已一様又一種波須乃波加豆良一

名伊奴都豆良葉形文理真類荷葉大六七寸莖著其正中藤本蔓延根亦作車輻鮮蓋本草彙言瓜防已也延喜式載駿河伊豆安房上總周防貢之

款冬 旧有花字今從新校本草和名鈔刪云此條併二種而立陶注花似大菊者豪吾而冬發花者蕗也至蘇注特說蕗而不及豪吾使後人不分明也郭言称山布々伎者豪吾而不冠山字者蕗也棣棠亦謂之山布々伎者以花之似豪吾故也俗名都波布伎即阿都葉之畧名葉似蕗而厚故也秋月別抽直莖著五六花單瓣黄色形似菊花葉色深青至冬不枯種類亦多產筑前筑後紀伊伊勢尾張等佗諸州亦極多矣和名鈔引崔禹錫食經云蕗布々伎 新校本草同 俗名布伎崔禹錫云葉似葵而圓廣其莖煮

可嗽是也人家山中並有之奧羽及蝦夷出巨大者唐山所無也
葉面淡紫背深紫者開白花謂之紫布伎又花莖根葉紫
赤色者謂之倍迩布伎出甲非文駿河夫欵冬〻猶忍冬至冬不枯之
謂槖吾至冬不枯故得其名後人特泥十月採花而以蕗釈之
遂使本文不分明也急就章半夏皂莢艾槖吾欵凍貝母薑狼
牙師古注槖吾似欵冬〻而腹有絲生陸地華黃色〻三名獸須依
此觀之本文虎鬚之目當屬槖吾也顆東即欵冬〻之假借爾
雅作顆凍一名菟奚郭注紫赤花生氷中上文所舉倍迩蕗
分明是二種也本文元未合二物為一條唐宋以降諸家不知此義
只以蕗花為藥而槖吾遂晦矣花黃有蕊有子者槖吾也
花白無蕊無子者蕗也雷公曰去向裏裏花蕊殼并向

裏實、如粟零殼者是槖吾也蕗花濃苦而本文款冬味辛別録甘是槖吾也陶注出高麗百濟故東医宝鑑本草欵冬生我国今無之予當聞之對州人朝鮮有蕗採莖為蔬與邦同又有俗呼朝鮮布伎者葉大而數花連生依此考之宝鑑所謂今無之者指槖吾也玄盅子云點　雌黄天有意欵冬誤綻暮春風誤字兼雌黄、字秉季義山詩棠棣發花黄、棠棣之称山吹以似槖吾也以其同名故使作者致此卤莽

牡丹　布加美久佐（新抄本草 和名抄）也末多知波奈（新抄本草 萬葉集）俗名加良多知波奈又也武加字智（與紫金牛同名）此草似桃葉而長厚深紫色開白花結紅圓實、一枝數顆倒垂千葉間生青熟赤又黄實白實等品類殊多即蕿注百両金也延喜式伊勢備前阿波貢之

又俗呼萬両者葉相似而稍短又似冬青而邊有鋸齒時珍所謂硃砂根也又有千両金葉相似而色淡青皆一類別種宜通用也一種廿日草之名依白樂天花開花落二十日一城之人皆若狂之句蘇注俗用別有臊氣者而紹興本草所圖滁州種也時珍曰唐人謂之木芍藥群花品中為第一謂之花王今園圃庭際多栽之品類殆百市人所賣多出大和山城云夫牡丹有古今之別蘇頌以下以為花王而不知古之牡丹也今之花王唐以前無有称賞事見鶴林玉露五雜俎事物紀原等漢代未有言之者張仲景桂枝茯苓丸八味　氣丸大黃牡丹湯並無皮字則漢代所用必為蘇注之草也呉普葉如蓬是亦一種之牡丹今不可知也玄虫子云中藏経治胞損小便不禁方牡丹須細花者不然無效非花王明矣

馬先蒿　波々古久佐（新抄本草勅撰記）比木與毛木（和名鈔）此草今無識者
旧説以為塩釜菊然與蘇注葉如茺蔚者不合此及天雄陶注
方云似鳥尾注猶云方家也

積雪草　都保久佐（新抄本草和名鈔）俗名加伎止宇之又加伊祢久佐又都流薄
荷下湿地籬落之間蔓生茎方葉圓有毛茸两々相對鋸齒粗
深香如薄荷即蘇注葉如錢而紹興本草所圖两々相對為蔓
者是也一種都保久佐一根叢生葉似前而圓阜光澤鋸歯微
少宗奭所謂如水荇而小光潔微尖者是也旧説以前為積雪草以
後為連錢草不知何據

女菀　惠美乃祢（新抄本草勅撰記美作比）俗名女紫苑又古紫苑又比苦紫
菀近道原野有之葉似紫苑或旋覆而細小一根叢生高一二尺

梢上攢簇小白花成傘狀亦似紫菀時珍曰白芫即紫菀之色白者雷公曰紫菀白如練者名羊鬚草 㕣此草也唐本草 女委 新抄本草 訓云惠美久佐 此惠美乃祢即惠美久佐乃根乃略而唐本所舉女萎之功直與本文同李氏本草 女萎消食 此云療夜食發病不啻名稱主治亦混有誤必矣

王孫 奴波利久佐（新抄本草 和名抄） 乃波利（新抄本草 病號記） 豆知波利（和名抄） 此草今無識者旧說以為多知阿布比一名延年草 莖高尺許肥地者至二三尺一根偶攢兩三莖莖頭三葉相對生如扁豆或葵葉中心抽一莖著一花三瓣紫黑色又有淺紫粉紅綠白 數種根似莪朮而白色味甚苦大和伊勢下野伊豆越後阿波等産之土人以為食傷殺虫之藥一說以為都久波袮草 其狀一根一莖高五六寸葉似百合而薄

有三縱四葉攢生莖端又有三五葉及七八葉相對者中心抽一莖着一花四瓣綠色內有金線白蕊根細長寸々有節蘇頌曰王孫葉似及已而大根長尺餘然則根必不如萩木葉亦不似百合則上文二種非王孫也吳普說一名蔓延又云蔓延赤文莖相當則非一根一莖者也

蜀羊泉 俗名比與止利上戶 此實鵯鳥之所好食故得名與花鏡雷下紅係所云和漢曰意又字流之計之 蘇注有漆姑之目故得此名此草或與漆姑同力 又都流珊瑚樹此草 近道山野田家籬落間有之春生苗藤本蔓延葉似菊稍長至夏葉間抽細莖攢簇小紫花結子類南天燭子生青熟紅又有伊奴古者 形狀甚似但圓葉末一尖似柿葉極小即花鏡雪下紅也

花鏡雪下紅一名珊瑚菜葉似山茶小而色嫩藤本蔓延莖生白毛夏末開小白花結子秋青冬熟若珊瑚珠累々下垂其色紅亮

照耀如日至於積雪盈顆似更有但乃白頭烏啼食則不能久畱正與蜀羊泉一類二種旧說混之非也

爵牀 乃加々毛 𬜯心乃加無勅號記疑當疊一加字 俗名大香薷多生原野荳方葉對作穗開花淡紫色又有白花者餘如薌薷注

桑 久波 日本紀萬葉集和名抄。猶云食葉言蚕所食之葉也 根白皮久波乃加波 新抄本草。勅號記乃下有伎乃称乃四字 蝦夷名宇祇不称諸桑之總名也此有数種曰白桑俗名真久波又男久波葉如掌大而圓厚子古今医統白桑葉大而無子蠶食之繭厚絲堅而倍常是也曰雞桑俗名女久波又比女久波又花久波葉薄似楮藏器曰葉椏者名雞桑最堪入藥是也曰山桑葉尖而長爾雅檿桑山桑日華子曰桑白皮紫山桑根皮是也曰柘桑豆美 和名抄引漢語鈔 豆美乃木 新撰字鏡俗名山久波又太加須計久波又加良久波木理有紋可作器物與船耒一般故名之葉極大而厚圓而有尖及糙澀紹興本草所圖是也曰子桑先椹而後葉凡採根皮山野人家諸桑宜通用也但要十年以上者剥土黄薄皮取其裏白剉了乾者隹肆中所賣泔浸數日色潔白者劣不堪用蘋頌注木白皮亦可用若根皮缺時宜從此說延喜式大和攝津伯耆播磨貢白皮桑耳久波乃多介新抄本草訓桑菌延喜式出雲美作貢之此有硬軟二種其軟者形如人耳而薄附木横生色灰黑採以和羹脆而味淡頗似水母俗呼木久良介即陶注軟濕者作菹無復藥用是也其硬者亦如人耳而肥厚横生大小不一其大者足使胡孫踞故俗謂之佐留乃古之加介又麻之良古武即本文桑耳也楮耳俗名加

宇曾多介 槐耳惠牟須多介 櫁耳介礼多介 柳耳也奈岐多介
是為五耳蘇注槐耳曰當取壁如桑耳者然則五耳並須以硬
者供藥用也太久良介邦人以接骨木生為上唐山人所不言也

竹葉 具竹譜

呉茱萸 加良波之加美 新抄本草 延喜式 加波々之加美 延喜式 和名抄 古呆須
伊 新撰字鏡 即呉 茱萸之轉声 延喜式大和近江丹波丹後伯耆出雲播磨
美作備前備中安藝周防土佐貢之今諸州頗多樹高丈餘
皮青綠色葉似漆及椿厚澗而臭兩々相對三四月梢頭開黄
白細花七八月結實累々成簇似椒子而顆粒緊小即紹興本草
所圖臨江軍者而今舶上所渡者亦此木之子也在官園者享保中
商舶所上形状全似但其實顆粒大為異即紹興圖越州種也時

珍曰一種粒大一種粒小小者入藥為勝

巵子 久知奈之（延喜式新抄本草和名抄）今人家多為藩籬且取實高八九尺葉厚硬深緑両々相對春夏之交開花大如酒盃白瓣黄蘂隨即結實如史君子而皮薄六稜七稜生青熟黄中有紅肉霜後採之可以入藥其九稜者亦產至少延喜式參河遠江伊豫貢支子今山城大和播磨等諸州多出之一種花千葉者俗謂之古久知奈之樹一二尺結實至少即八閩通志水梔花都人呼玉樓春者（邵武通志玉樓春一名欲晝春馮志云花孟夏始開故又名欲晝春予竊以為玉樓欲留呼声之轉也）凡用此物不拘六稜七稜形大而長中仁深紅者為佳勿用未熟者及色暗黒者藥舗或以上好入染家粗者充医家不可不擇

蕪荑 比岐佐久良（新抄本草和名抄）也迩礼乃美（新抄本草）俗名尓賀尓礼

又也末介礼山榆仁之名出于蘐園　和漢通名　延喜式信濃貢之日光山中者葉
大畧似榆而薄莢亦似而稍大且有氣臭時珍曰大小兩種小者
榆莢也採取仁醞為醬味辛入藥皆用大蕪荑別有種然則郭璞
注爾雅蕪荑生山中葉圓而厚取皮漬之其味辛香者榆皮而
與氣臭如犼者別矣爾雅無姑其實荑是也與穀草巫荑別
矣溫行毒藥性論作如虫行

枳實　加良多知延喜式萬葉集新抄本草。新撰字鏡此下有花字又有久知奈志之名者恐誤　大坂城中
有一株枳傳言昔時豐公伐朝鮮移植之高丈許葉似橘而厚青
黒色冬不凋每枝有刺春開白花至秋實成與橘相似但肌皮如
橙為異又在駿府官園者享保中商舶所上也今多出薩摩
樹葉並與大坂者一様　延喜式山城大和攝津若狹加賀貢之

盖屬韓種故有加良多知波奈之訓福田方枳實皮厚而翻肚如盆口狀為勝筑紫者已如此伊勢皮薄盖柚皮也不堪入藥近時亦有雜柚及朱栾皮者不可不擇呉船所載大小二種大者皮厚而翻肚作盆口狀正如福田方所云入藥為佳其小者如麻豆如茶子是新抄本草引雜要訣五月採者名時枳之類故二者並青黑色本文九月十月採者色必黄也故素問云黄如枳實宜黄熟時採之種加良多知人家為藩籬比之大坂城中者樹葉及實皆小藾須所謂臭橘雷公味酸者是也又新抄本草引雜要訣有一名玻實注引玉篇莫晉切諸家本草無此名玻字可疑也和名鈔枳椇注只矩二音加良多知是討牟保奈志之訓涉枳字而誤也

厚朴 保々加之波乃岐 新抄本草和名抄。保々即朴之字音其葉似槲故名 保々乃加波 和名鈔訓重皮

紹興本草所圖有歸商二州之別歸州者蘇頌所謂葉四時不凋紅花青實者鄂產未聞有之其商州者即保々加之波樹高三四丈徑一二尺春生葉似槲極大無鋸齒淺綠色夏月枝上開白大花花瓣七八狀如蓮花花後結子畧似萬年青子而紅色其皮厚而鱗皺又有薄者至冬葉枯福田方大峯及白山者皮厚而色紫有濃味者入藥最好他處者皮薄色白不堪用近時出蝦夷者形狀全同味甚苦亦為好品即夷地之保々加之波皮也岩嵜常正曰根皮之力勝於幹皮古人不採者千慮之一失也延喜式山城大和攝津伊勢三河美濃丹波播磨美作備中紀伊貢之今諸州多有之證類本草其子名逐折此本脫折字九月十月

證類作三月九月

秦皮　止祢利古乃岐新抄本草和名抄　多牟乃岐新抄本草　俗名多多呉乃伎

又阿　多多呉多多呉似樗字音本干石檀　今出加賀越前阿波丹波丹後若

狹山城近江等近道亦有之高一三丈其葉每枝七葉排爲一朶

形似茱萸而深綠色兩兩相對蘀頌所謂葉如匙頭而大者指

七葉之一枝也春夏之交梢頭開四瓣白花結青實即紹興本

草所圖成州種也一種有介賀伎蘀注有苦楠字葉似而細小即蘀注似

檀葉細者而紹興圖河中府者救荒本草黃楝樹也淮南子

梣尋木青翳而蠃瓜祿瘉與蝸瓜睆皆治目之藥與本文青翳

白膜者矣說文梣青皮木岑声有重文𣘤云或从宫帚又又山部

岑从山今声然高部𩫖从高岑声讀若岑與高誘尋音合

矣新抄本草一名樊鷄即陶注樊槻鷄槻通音一名昔歴盖苦歴之誤

秦椒 加波々之加美 延喜式新抄本草勅號記 古布之波之加美 延喜式醫心方 伊太知椒 新撰字鏡 鹿椒 同上 延喜式美濃美作播磨紀伊阿波土佐貢之又有冬山椒者葉大如竹冬不凋實冬熟而紅、吉色陸璣所謂竹葉椒而式所言者或指之也

山茱萸 以多知波之加美 新抄本草○和名抄此名訓蔓椒也有誤 加利波乃美 同上○勅號紀無利字 佗波久美 勅號記多識編 也末久美 多識編 延喜式尾張近江貢之今信濃多産之樹高一二丈春先攢簇五瓣花白色黄芯茱後生葉似楡而大無鋸齒縱文正整實似胡頹子而青秋熟則紅與紹興本草所圖海州種同享保中商舶所上状

亦如此又久美和名抄毛呂奈里同上本朝式用諸生子三字俗名春久美又
茴代久美即陶注胡頹子此核八稜似山茱萸時珍雀兒蘈是
也又俗呼奈都久美者即蘈頹所謂木半夏也呉普所謂五
月採實者蓋指此物也紹興圖兗州產葉極細小者鄕產
未聞
紫葳 未加也伎新抄本草和名抄○医心方未作也乃宇世宇同上蓋凌霄之字音
乃宇世宇乃加奈良医心方○奈疑豆之誤多識編云乃宇世宇加豆良時珍說得形
狀一名武威證類作女葳
豬苓 加之乃伎乃不須倍勅號記○依名欽之旧或有生槲樹根下之說故新抄本草有加之波岐又也未
加之波医心方久奴岐之名伊乃久曾多識編靈宝熊毒俗名波岐保止又皃乃加奈
久曾又奈都未似多許今出仙臺南部其他諸州亦有之生子

土中皮黑作堺正如陶說田村元雄曰多生胡枝根下波岐保土之
名所由起也下野宇都宮胡枝樹尤多故其地多出之一種刺猪
苓絡與本草有圖邦產未聞依蘭草例不詳上恐脫碎字
白棘 邦產不可知唐嶌棘赤棘多而白棘少故蘓云棘中時復有之
為難得以其難得故以酸棗棘天門冬苗代之也
龍眼 新抄本草佐加伎乃美和名抄同引楊氏漢語鈔云佐加伎
龍眼者其子也見本草日本私記坂樹刺立為祭神之木本朝式用
賢木二字漢語鈔用榊字按佐加伎即佐加倍伎之畧名此葉四
時榮茂故名其實與龍眼絶別漢語抄混之者非也此樹多産
琉球国今出薩州者亦琉球種也嘗觀琉球草木圖葉似橄
欖梢小開五瓣細白花亦似橄欖今人偶有核種者雖或生苗

合

皆不成長風土之意也性最畏寒故唐山只生閩廣南土太田澄元曰有徳公嘗種之紀伊駿河者時結實紀伊者否二樹今枯矣有俗呼大明橘者葉似橘而長無鋸齒實亦似橘而長大旧説以為龍眼襲漢語抄訓佐加伎之誤也舶渡常有別無偽物紹興本草圖有小葉長葉二種生薩摩者其長葉者也

松蘿 末都乃古介 新抄本草 和名抄 佐流乎加世 和名抄 俗名也麻宇婆乃牛久寿 又夜都祢乃毛止由比 又佐加賀利古介 寄生於松上而長五六寸細圓下垂如羅如絲長者至三五尺色白帶微緑延喜式攝津近江伯耆出雲貢之今下野之日光大和之芳野相摸之箱根伊豆之天城等深山有之

衛矛 加波久末都々良 新抄本草 和名鈔 久曽末由美乃加波 同上。和名鈔無下三字俗名尓之伎岐又也波豆尓之伎岐延喜式大和丹波播磨貢鬼箭今信濃下野等山中有之人家亦種之高七八尺或丈餘春月生葉狀如茶大如指頭而青色葉間細花四瓣黄色後結實大如椒子二經霜則葉變紅如錦其枝上兩面有羽頗似箭羽所謂鬼箭也入藥連皮削取之陶之三羽時珍云四面有羽邦産未聞有之一種古未由美形狀相似而小莖無羽又也末尓之伎岐近道山野殊多葉稍長而實亦大又於保尓之伎岐葉濶而短此者似吳普藥錄、所注者只莖無箭羽為異其他種類多有箭羽者為隹新抄本草引釈藥性一名衞矛、又引兼名苑一名鬼針玄盅子云ゝ尓訛作ヲ箭作葴復轉為矛、為針

合歡、袮布利乃伎新抄本草和名抄袮布乃木夫木集加宇加萬葉集即字音俗名

祢布近道處々有葉如皂莢細而繁碎五六月發花散垂如絲上半白色下半淡紅甚可愛觀七八月實作莢如豆莢中有扁小數子入藥幹皮根皮通用主治之文就名附會恐出後人之手非神農之意也

麢羊角　也末之々乃都乃延喜式山鹿之義　加末之乃都乃新抄本草和名抄　加末之之乃都乃醫心方　俗名加毛之加又介久即肉字之音俗間以為藥食云力勝於豬鹿延喜式駿河飛彈出羽越中越後貢之今不止此五州武之秩父信之木曾奥之南部及松前等多出之状似羊鹿茸而灰黑色有兩角一角者其角彎曲黑色長可五寸本瀾末銳本多節而末有縱文即陶注多節蹙々圓繞蘇注如人指長也入藥是為真矣今船渡者牛角大而色微黃其節疎大恰似筍之脫籜此雷公所

謂神羊角長有二十四節内有天生木胎蘇頌角長一二尺有節如
人手指握痕至堅勁者如遇真物缺則可代用也其天生木胎在前
謂之䚡者也蔵器曰羚羊角有神夜宿以角掛樹不著地但取角
彎中深鋭緊小猶有掛痕者真邦産必掛角於樹而宿云玄盅子
云加乇之加猶云神鹿也犀角此獸一出於信州源右大將使泉小二郎
捕之事見東鑑犀川之目所由起也只此一出其他無聞今所有者
皆屬舶来有黒白之別如蘇頌説其白者則雖色白絶無光
潤裂之東鍼文似石膏近来此角甚少市上多以烏犀之角根白
色者擬之其黒者似牛角而光潤好尚徃々以牛偽之然犀之東鍼
粗而牛則細又有無文者當以此分別焉嘗觀喝蘭本草圖額上
角短小而鼻上者大與郭璞蘇頌説及今所有六七寸及尺許者應

是鼻上角也入薬最上李恂曰犀有鼻角頂角鼻角為上食療鼻上角尤佳時珍曰鼻角長而額角短與李恂海薬及鳴蘭説符矣其短小者肆上呼為兜巾様兜巾者修験行者護額之物也玄盅子云犀兕古人連言一物二名其呼急則兕緩則犀也萬安方犀角羚羊角互通用功全同

石灰 以之波比 新抄本草 近江焼青白石造之即陶注所云也武州多摩郡者其礦白而微黯他州焼處不可枚挙並有風化水化之別本文所言病症今人猶能用之

礜石 下野那須越後熊川肥前温泉嶽會津盤大山等出毒石蓋是也有馬山中有池衆鳥誤飲即死越後妙香山池水紀伊高野玉川之池亦池底有礜石云又有称砒霜石者出石見銀山及

長門長府鎔銅礦時覆以湿薦放火燒之薦已化灰黑灰中自然有成塊色赤者非天然之物稍冷則其色黃白不一俗謂之鼠殺蠅殺其毒與礬石同新抄本草礬石出長門恐指此也物理小識礬即砒但有白黃紫色數種山海經說文言毒鼠石開宝本草始有砒今人不敢合耳新抄本草特生礬石亦出長門

唐本草別出握雪一條

鉛丹　史記貨殖傳江南出金錫連徐廣曰音蓮鉛之未鍊者本邦出連處諸州有之泉州堺賈人多燒鉛製丹新抄本草多迹郎字音也玄盅子云造丹之法見于福田方　按方作之人見為上好古人云錫造非也

錫　之呂奈未利 抄和名 俗名須壽續日本紀文武天皇二年伊豫献

白鑞字彙鑞鑞同爾雅錫謂之鈏郭注白鑞也四年丹波国献錫
称徳天皇神護三年得似白鑞者曰丹波国天田郡華浪山所出也
和鑄諸器不弱唐錫復興役採之似鉛非鉛未知所名羽栗臣翼
齎之入唐以示揚州鑄工曰是鈍隱也隱鈏二字假借通用俗謂之
吉也利即錫字音之轉也今伊豫豊後日向常陸等出之今人之造
粉也即鉛白霜也本文係之錫而實用鉛意所不安依蘓注唐時
有化錫之術後世失其法耳考工記金錫相半謂之鑑燧之劑

代赭　阿加都知（新抄本草）一名赤土一名土黄出兼名苑陶注代郡城門
下土是也斯邦諸州所出丹土及佐渡人称無名異者皆此類也本條元
二種一土一石其赭石蘓注亭山赤石雞冠潤澤者此石出美濃赤坂
遠江掛川陸奥會津等時珍因循蘓説代赭下漆石字可謂

杜撰也延喜式太宰府貢代赭玄盅子云凡出太宰者九州二島之産及唐船載輸也古方紫圓所用即代郡城門下土而非石赭以其難得故有代以牡蠣之說焉其石赭是石生齊国而畫家以為色者又喝蘭所輸加奈乃宇留蓋外国之石赭也

戎塩 戎夷之塩非一種故有南海北海之說青赤二種俱入藥而古人多用青塩此物形塊類方觧石而色淡青或帶黑陶注河南塩地者蓋是也其紅者状似巻石色如桃花故北戸録謂之桃花塩其他色類予未見之大塩者不由釜煎自成顆者邦産所未聞也上鹵塩鹵字斥地則宣明論治齒腐上好鹹土之類歟

白垩 之良都知 新抄本草 俗名伊萬利都知又阿布良乎止之又美賀伎須奈 此有粳糯二種俱是之燒白瓷器者 天工開物粳米土

其性堅硬糯米土柔軟兩土和合瓷器方成粳土出肥前信濃安房近江糯土出讃岐陶村及冨田村入薬以粳為良其力近五石脂云

冬灰　阿加佐乃波比 新抄本草　此謂冬月刈取枯藜燒以為炭也方谷川澤者藜之所生而非生灰之地經文多此例鐵落生牧羊平澤銅鏡鼻生桂陽山谷之類

青琅玕　蜀郡平澤所生石之似珠者故一名石珠禹貢雍州厥貢琅玕孔傳石之似珠者其物雖今不可知而許慎說文郭璞爾雅注皆與安國一様則古義為然蘇頌所說是珊瑚也物理小識琅玕是青珊瑚

附子　於宇 新抄本草 勅號記　俗名布須伊毛延喜式駿河以下十四州

貢之今其他諸州出之形如芋子而重一錢許者為好別録允例
曰附子烏頭去皮畢以半兩准一枚宣明論附子以半兩者佳小者
力弱大者性悪非古方之宜今呉舶所載其大者一枚重七八錢非
古人所云且塩水浸過失天然性味又白河附子出陸之白河大小與舶
來一般八角之目出于金翼與陶注八角者良雷公曰底平九角呉普
云烏喙附子角之大者角字ヲ未通曉呉氏曰八月採皮黑肌白
四月令三月可採烏頭博物志烏頭天雄附子一物春夏秋冬採
各異也

烏頭 於字 （新抄本草 勅號記） 俗名止利加布止又加布止伎久今有數種出
近道者 莖葉似艾及益母而廣厚莖高三四尺上開數花紫瓣
白澀長苞而圓形如伶人所戴烏冠者又有白花者莖葉鴨花

師呼為花加都良其根大者如梅指頭圓末尖肉白皮褐其味
辛延喜式武蔵下野近江貢之在官園者享保中商舶所上葉
鈌刻浅而面多皺又花相似色薄為異今出南部松前等者花
葉大畧與官園者一様又出蝦夷者種類殊多而毒最甚旧說
培烏頭以作附子者蝦夷松前者為好日華子曰土附子味苦
辛熱有毒生去皮擣濾汁澄清旋添曬乾取膏名為射罔
獵人作毒箭使用今蝦夷毒箭亦如此云然則陶注作茎取汁旨
煎非也即子之即猶就也即子附子同意後人假借為側或萴也
烏喙只是別名正字通載朱熹曰予嘗中烏喙毒頭岑々然
文公未必擇兩岐而用之已李說蘗注拘矣呉普說神農下當
補辛字玄盅子云郭言於字者烏頭之約声附木天雄並同訓

以俱出烏頭故也

天雄　延喜式近江貢之是烏頭之変生長三寸以上者出烏頭處必有之何必近江藏器身短之説非也

半夏　保曾久美 新抄本草 和名抄 加多保曾 延喜式○勅號記 下有比字 俗名加良須乃比之也久又邊布須又美豆多未與一名水玉暗合近道田野有之春宿根生苗高五六寸肥地至八九寸一莖三葉淺緑色頗似慈姑又有一葉二葉及圓葉長葉者夏別抽莖着花似天南星而小外淡緑内紫黑又有黄花紫花其根大者如指頭小者如白豆蘵注羊眼半夏謂其大者也一種琉球来者葉燕尾全如慈姑根比羊眼更大又出肥後者葉如芍藥即蘵頌所謂江南者也延喜式伊賀讃岐貢之今肆中所貨多出周防安藝出雲

筑前豊後近江安房等方書有齊州半夏只無異狀三葉一
莖而根與葉大者也

虎掌 於保々曾美（新抄本草和名抄○勅號記美作比按美上略久字）俗名宇良之末草此
草一莖一葉高二三尺葉深緑色頗似蒟蒻葉枝了九二十枚分布
莖頭其莖淡緑有細黑斑花形似一瓣蓮花而紫黑色内有一絲
縷長一尺餘其根似半夏而大且扁年久者如雞卵如拳周匝多
圓牙此陶蘐所注之草也天南星俗名虎乃尾又乃止之婆利又
也布古牟仁也久又蛇乃大八又蛇乃加良久佐蝦夷名良宇良宇生
林下陰處亦一根一莖根小者莖二三尺大者五六尺莖圓淡緑色
有斑或白或紫又或無斑葉五七或八九分布莖端頗如虎掌但結
實如商陸而赤根雖年深傍無圓牙為異此即圖經所謂天南生

而本草彙言南星即虎掌同類異種是也玄扈子云蘇頌曰天南星即虎掌是說一出而後人無復異議然猶有可言者敢措辞于下天南星形狀比半夏則剛其力量亦比半夏則剛本文虎掌之能與南星半夏不近似何也以其物之誤也私憶古呼虎掌者今之蒟蒻呼声隨轉則文字隨殊本文所列即蒟蒻之主能也今試蒟蒻治心痛結氣積聚伏梁彼北魏南宋以降人之所不知唯我邦人知而傳之如夫根有牙子是之不過為南星之異種也

鳶尾　古也須久佐（新抄本草　和名抄）今人無呼此名者而通呼伊知波都也人家園圃栽之其葉扁布繁衍形似鳥扇而深綠色抽短莖開紫碧花似燕子花其底微白又有白花或淡黃者經已有糅而別錄再出由跋誤矣今俗呼伊知波都者是之由跋字音之轉外臺引小品

方云東海鳶鳥頭即由跋是也鳶尾苗名鳶頭根名也新抄本草和名抄訓加伎都波奈以其似加伎都波多也

大黃 於保之 新抄本草 和名抄 今人皆呼字音延喜式武藏信濃尾張越前陸奥貢之今信濃山城丹後等州有一草俗謂之山大黃其葉叢生極似羊蹄圓而長大花實亦似其根黃色數條味帶澀或所云者其是歟在官園者享保中商舶所上其葉如桐澗大光澤莖上之葉漸々細小莖脆高七八尺花實亦如羊蹄根有錦紋近時山城大和多培之切片貨賣即藏器牛舌大黃也舶来不乏穿眼大黃亦有其中入藥舶来為上又喎蘭呼良婆留部番者俗謂白大黃質堅實而白地錦紋異於唐山所渡文化丙子喎蘭人載數萬斤来長崎人無識之者彼徒載帰二季氏

說為中將軍中上似脫藥字

亭歴　波末加良之（延喜式）　波末太加奈（新抄本草和名鈔〇太加奈即莽也）　阿之奈都奈（同上）　波末世利（同上）　今有數種延喜式武藏相摸等十二州貢之不知指何草也一種近道者俗呼以奴奈都奈無狗薺之名符陶注公薺恐亦狗薺之轉也一名雀乃佉牟知也久春初苗搨地生葉如鼠麴而圓短莖長六七寸或八許梢上作穗開淡黃小花結細實如薺而圓中有細小褐子立夏後莖葉俱枯即本文辛亭歴也一種喝蘭太奈豆奈葉如薺實亦似而稍大味苦辛即別錄味苦者也一種軍配奈豆奈生品川者葉似狗薺而大結實亦大頗如榆錢又似軍配扇形中有小子味亦苦辛且有臭氣是救荒本草遏藍菜而一種之苦亭歴也又呼波多佉保者近道山野極多

葉似芥菜小而多毛梢上開淡黄小花結細長角即救荒本草南
芥菜而雀知惵所謂狗芥菜也又波末波多佐保多摩川水濵
殊多苗葉花實都似波多佐保稍大又有甜亭歴正字通市中
所鬻亭有甜苦二種甜乃薺與菥蓂不能破氣下水是也時珍
以爲狗芥草誤矣

桔梗 阿利乃比布伎 新抄本草和名抄草木類 乎加止〻伎 新抄本草勅號記〇和名鈔園菜類 引淑藥性訓苻蘼元是一物何故分爲二種 阿佐加保 新撰字鏡〇似牽牛花故有此目旧説萬葉集秋七草中阿佐加保是桔梗恐非 伎知古宇 古今集 伎〻夜宇 枕草子〇此二名皆字音 生山野向陽之
地人家園圃亦栽之春生苗叢生莖直上三四尺葉互生似杏而長
擠背淡白色有微毛又有葉二三相對者夏後梢頭開單辧
紫碧花似牽牛而小又有重辧白色及紫白間雜者種類殊多

紹興本草所圖三種其葉三四相對開花單瓣者和州種也葉互生
重瓣者解州種也蘓頌所謂関中似菊葉者成州種也郷産未
見菊葉者蓋一種变或不足為奇也延喜式武蔵下総等二十三州貢
之今其他諸州極多宜自採暴乾以供藥用依吴普説本文味辛当
作苦節皮為之使医心方作秦皮

莨蕩子 於保美曽久佐 新抄本草 和名抄 於尓保美久佐 医心方 於仁比留久佐
勅號記 俗名保安伎久佐又波之利古呂又奈々都桔梗春初生苗茎
高二三尺葉似萵苣而細長又有圓葉者其梢上葉間抽細茎開小花
形如風鈴而紫赤色花後結實似蜀羊泉中有細子根類萆薢生姜
等赤黒色即紹興本草所圖秦州種也多識編為烟草非也延喜
式伊豆等五州貢之今武蔵大山嶽山下野日光山等有之

草蒿　於波岐新抄本草加良與毛岐和號記　俗名野人參又草人參又河原人參處々原野田間極多春初宿根生苗莖粗如指而肥軟莖葉並深青色初生似胡蘿蔔漸長則如茵蔯面背俱青秋間梢上開細黃花結小實頗香一種久曾人參又五行草葉似青蒿細而淡黃色臭氣最甚即日華子臭蒿草蒿劉禹錫稱蒿時珍黃花蒿是也紹興本草所圖二種其一蓋臭蒿也夫古人單稱蒿者青臭二蒿之通名注家必拘青蒿非也方書骨蒸勞熱多用青蒿以予見之臭蒿亦可通用

旋復花　須萬比久佐新撰字鏡加末都保新抄本草加末保同　俗名於久留末又乃久留末延喜式安房上總貢之今水傍下濕地生之葉如柳而寛大莖細如蒿幹長二三尺花單瓣深黃色大如錢救

荒本草所載是也又有細葉小葉千葉者入藥尋常所有者佳唐
山別有菊葉紹興本草所圖隨州種宗奭所謂葉如大菊香過
於菊者類書纂要一名艾菊等可以見也東醫寶鑑引本草如
菊葉之文則朝鮮亦有此種也一種有極巨大者 秘傳花鏡向日葵
是也俗謂之日車又曰回其花如菊而大隨日旋回傾覆本文復字延
喜式救荒本草本草綱目並作覆旋即回轉之意名義允當本文
日乾二十日成言太花蒂如盃者採得後經廿日而乾也甘草十日枯樓
根三十日之例也但此物非葵類其謂之葵者花鏡命名之誤也

蒺藜 夜末宇波良 新抄本草 和名鈔 之々乃久比乃伎 同上○醫心方 乃伎作久佐 此二名今不
可知延喜式伊勢飛驒貢之者或云木蒺藜也於毛止久佐 勅號記
秘傳花鏡萬年青與本條別矣本文即今椶櫚草下野日光山多生之

故名日光蘭其葉叢生似白及而闊短葉心抽一茎長三尺茎上互生小葉其梢頭分枝成穗開六瓣紫黒花形似白薇花後結扁莢中有小子其根類葱有毛如棕櫚此陶注所言之草也一種梅蕙草一名由伎波利草亦産日光山及近江比良山等其葉互生似萎蕤而極大有縦紋茎上作穗開五瓣白花形如梅其根比日光蘭垷大如蒜蘆無棕毛多鬚其味辛小野蘭山曰本草原始蒜藜蘆是也

鉤吻 一名野葛時珍曰非葛根之野者或作冶葛論衡冶地名在東南是也類有数種陶注似黄精者俗謂之奈倍波利葉似黄精而闊大光澤茎赤帯白粉長一尺許梢上開花似酸漿君人誤舐唇舌破裂亦産三河志度村山中伊勢鈴鹿山河内金剛山等也蘇注如柿葉者亦謂之奈倍波利一名都多宇雷之又山宇雷之又加

伎宇畱之其葉似柿又似葛每三葉横生一處夏葉間開小黃
白花如地錦實亦相似熟則外皮自裂中有赤小子其莖引蔓
纏樹木長丈餘其漆可以塗物能齧人生瘡下野日光山上總加野
山及駿河遠江山城備前阿波等諸州近道則高田有之本文一名
野葛者是也仲景書與芹菜相似者即今毒芹一名於保芹一名
萬年竹近道川澤中時産之其葉似芹而大又似白芷有白毛莖
中空處高四五尺上開細白花亦似芹其根有節如竹而青都下有賣
紫根者喚為花山葵人以為山葵之類食之吐血而死云一種伎計麻ム年
花師呼為村千鳥其苗葉大類紫計麻年花亦相似但黃色為異此
草處々竹木中有之遐年要鈔堇菜黃花者殺人者是也一種桛久宇
都岐亦呼為奈倍波利又比止古呂備又祢豆美古呂之又布須與所

子同名 葉大略似龍膽闊短而尖又似麦々葉両々相對有三縱文其莖
叢生赤紫色梢上作穗開小紅花結圓扁實生青熟紅色往歲下
野壬生農夫為蔬食之身體拘急而死云此即綱目所載滇南花紅
呼為火把花之類也

射干 加良須阿布岐 新抄本草和名抄 〇即烏扇之訓 俗名檜扇葉大畧似鳶
尾數葉扁生形如扇中心抽一長莖四五尺梢上分枝開六瓣黃赤花頗
類萱草其瓣有紫斑点結實成房全似胡麻房而三稜一房六隔
中子二三十粒大如胡椒生青熟紫黑名烏扇其根有節如竹延喜式山城等
十五州貢之一種胡蝶花見花史花編秘傳花鏡等俗名志也我葉
似鳶尾抽長莖開六瓣白花有黃紫斑即陶注別有射干花白者是
也蓋古者正呼射干字音後世轉為志也我耳古人射干鳶尾誤混為

廣雅鳶尾射干也土宿本草射干即扁竹一種黃花一種紫花一種碧花然射干當以抽長莖如射之長竿開黃赤花為正也松岡正章曰綱目丹溪紫花之說本邦医製医学入門一粒金丹者以射干無紫花者用鳶尾根或葉其誤皆起自丹溪丹溪固不知射干時珍亦不知射干莖長鳶尾莖短漫言生肥地者莖長瘠地者短此大不然丹溪東壁以其鄉不產射干認鳶尾為射干而有是說耳射干花黃赤絕無紫花者丹溪東壁之所指稱紫花射干者鳶尾也

蛇合　依蘘注古本作全故新抄本草楊玄操音泉宇都末女新抄本草原脫宇字今依医心方勅號記補之又勅號記下有久佗二字俗名於倍備以知其葉似蛇苺而五葉攢生頗如五加有小鋸齒葉間開五瓣黃花形如梅花後結實赤色亦似蛇苺即紹興本草所圖興州種也一種有七葉者花實全相似陶注細葉

黄花者是也延喜式武藏等八州貢之是也時珍斗門方小龍牙根
蛇含文衍圖經紫背龍牙為一然紫背龍牙與小龍牙原是別物蓋
今名伎良年草又地獄乃釜乃布多者近道極多時珍以龍牙之目
相混恐非

恒山 久佐岐 新抄本草勅撰記。別有久佐岐詳見下文同名異物 宇久比須乃以比祢 同上 俗名古
久佐岐又倍美乃知也近道王子村其他田舍竹籬落處々有之高五六尺
或八九尺葉互生深綠色似茶而大又似辛夷有光澤採之臭氣穿
鼻葉間作細穗攢簇四瓣淡黄花後結青圓實根似荊根黄
白色延喜式伊勢丹波貢之是也一種在長崎官園者高三四尺葉
似土常山稍厚又似茶而狹長兩々相對枝葉繁茂三四月生小白花
結碧實三子成房根堅實黄白色即蘇頌注所云而紹興圖明州蜀

漆也或傳今枯矣又一種久佐岐即群芳譜臭梧桐人家多有之高丈餘葉圓而尖形如桐葉稍小折之臭氣亦甚枝上生花似赬桐花而紅白色結實如南天燭子友人服部政世所藏古寫方書常山訓止宇乃木今仙臺人呼久佐岐爲止宇乃木即桐之字音此葉似故名之赬頌所云海州蜀漆也鄉人治瘧多用此根一名互艸古時互匠通用本艸綱目逸漆葉之目宜補入焉

蜀漆 久佐岐新抄本草勅號記也末宇都岐同上即久佐岐苗也一種安豆佐爲和名鈔引白氏文集訓紫陽花葉似高陸圓尖稍小面多紋脈莖高三四尺梢上攢簇數百花成傘蓋狀初紫碧色十餘日後變白即紹興本草圖海州一種蜀漆也鄉人從前用之治瘧又出安智佐爲葉似土常山開小花爲傘狀如安智佐爲此物亦能治瘧亦蜀漆之屬也

甘遂 尓波曾 新抄本草和名抄 尓比曾 同上 俗名夏燈臺生飛鳥山道灌山等皆有之莖高七八寸尺許葉似大戟稍圓莖頭五葉或七葉對生又有大葉者俱開黄花結小實並似大戟其根作連珠狀甚疎即蘇注赤皮之類而延喜式武藏三河貢之是也藥用須舶來大如指頭皮赤肉白連珠者佳紹興圖葉似菖蒲者今不可知

白歛 也未加々美 新抄本草美作毛 ○勅號記 延喜式山城等六州貢之此草今不可得而知也今所有者享保中商舶所上之種苗引蔓又藤生葉五岐似烏蘞葉小窄蛸花又極多開細小黄白花後結實大如南天燭子生青熟碧乾則黒色根有塊如雞卵是就旧年者而言之採實播蒔則嫩葉圓尖有鋸齒蘇頌所謂葉如小桑是也諸方書為癰腫疽瘡藥

青葙子　宇末佐久（新抄本草 和名抄）　阿末佐久（上同）　俗名乃計伊止宇又犬雞頭
又筆雞頭近道絶少多出他方葉畧似雞冠而狹長又有圓葉者俱
莖高三四尺梢間作穗着花尖長三四寸狀如筆頭上紅下白子亦似雞冠而
黑細光滑又有黄花紅花者是屬変生須自播蒔以供藥用也宗奭
曰經中不言治眼今人多用治眼與經意不相當今詳主治與草蒿錯
簡相乱明目之文在彼條中且依陶注後又有草蒿之文孫之此本次列
必不如古本也

菌　旧說秋時蘆荻中所生呼志安智多計者不知殺虫之力如本文否玄
晏子云陶注比亦無有又曰似菌云此云字出所傳聞而不親見之證也隱
居素不識此物也書墁録載陶隱居不詳此藥人固有不知無足怪者
蕷注與衆菌不同既曰不同則似非草茸類元是東海之產則恐

是海草也

白及 加々美 新抄本草○勅號記下有久佐二字 俗名之由良牟花鏡花名朱蘭之字音也人家庭砌植之其葉似藜蘆中心擢一莖長二三尺莖上之葉三四生頭著數花形似蘭紅紫可愛又有白花者根如菱米有臍如鳧茈之臍又如扁螺有旋紋

大戟 波也比止久佐 新抄本草和名抄 俗名多加燈臺又草燈臺又乃宇留之延喜式大和等十一洲貢之近道頗多春初宿根生苗嫩芽紅色仲春長作叢直莖二三尺葉狹長如柳而互生莖頭分五枝每枝開四瓣小黃花後結實似續隨子而小入夏苗葉俱枯其根細長似苦參黃黑色即蜀本圖經所云苗似甘遂根如細苦參者是也古者無紫綿之別只是一大戟其根國無心故別錄凡例不言去心雷公炮製亦

云採得後於槐砧上細剉而後世所用紫與綿並有心故時珍曰柴水煮之軟去骨他方書亦載其事紫綿二品假令不為大戟功用有似遂使後人疎漏不察也一種岩大戟生海邊岩石間紀伊播磨淡路等諸州有之葉似高燈臺稍細小深綠而周圍紫色莖亦紅紫比之高燈臺雖為短矮而根肥大紫赤色是眞紫大戟也今兵舶所輸根皆有心細長如箸長二三尺外皮硬強劄之縱理分鮮如苧麻皮而赤紫疑為木根或云芫花根也或云市人混以紫苧麻根不可不擇也又綿大戟形如黃耆外皮黃黑有光澤裏面黃白柔韌如綿然世上不知稱草今詳俗名晃縛一名夏防主葉頗似高燈臺稍大其皮柔軟如韋可以束物所謂綿大戟即此根也二百年前有医德本者用以治痃氣積聚等症然為綿大戟則其所不知也紹興本草所圖四種其滁州者蜀本苗如甘遂

者也并州者有蘋須黄紫花圗圚似杏花者也信州及河中府者有郛産無可擬者玄盅子云徐陈簡便方紫金錠方中紅芽大戟一名紫大戟形如甘草而堅實切忌不可慎用縣大戟然則紫綿各有所適不可同一看也

澤漆　波也比止〻佐乃女　新抄本草。是依別録而作訓也勅號記無乃女二字　俗名也布曾婆又云曾婆奈近道處〻有之葉似大戟而稍大似金絲桃而狹有微毛数葉互生密攢而上莖高二三尺上分五枝毎枝開淡紫黄色花後結實似續隨子而小其根有塊似甘遂而大白色微黄即紹興本草所圖冀州種也苗葉正與大戟相似故別録以為大戟苗然其生處不同則為別草可知也古人事自簡祢其似者而同之不啻此物時珍以為實是大戟苗遂以別録為誤　據土宿本草以為猫児眼睛草也是亦澤漆之一種近

道下湿地極多俗呼燈臺草又須壽布利花又抵乃鈴葉似苜蓿而粉緑色揃莖互生莖長八九寸上分五七枝開四瓣緑花後結小緑實

茵芋　尓都々之（新抄本草）　牟加都々之（同上）　俗名美也末之伎美　此小木也高一二尺葉似莽草兩々相對冬不凋作穗開花五瓣白色後結實生書熟赤大如南天燭子即蜀本圖經及日華子所注是也諸国深山幽隠之地有之其牟加都々之別是一種勅號記茵芋於加都々之四月花白本邦有赤紫白三種又羊躑躅條云之呂都々之生深山名茵芋然則牟加都々之即今山躑躅與茵芋別矣医家千字文茵芋異名牟加津々之私安未阿勢保是也此木處々山中有之葉似柃木而極細長作數穗開小白花蓋陶注如莽草而細軟者而紹興本草所圖絳州種也延喜式大和美作貢之其阿勢保或云阿世美萬葉集

馬酔木傳言馬食此葉則足痿不能行云旧說以為之止美非也新撰
六帖衣笠内大臣歌吉野川瀧津岩根乃白妙尓阿世美乃花毛開尓
許良之奈尓為白花者可知也
貫衆　於尓和良比新抄本草和名抄○狗脊亦有此名　也末和良比同上　延喜式播磨貢
之此草今無識者旧說草蘇鉄又山蘇鉄生山陰近水處一根数茎
茎大如筋葉両々相對似鉄蕉而深緑色細鋸歯至夏並最葉中
別抽両三茎其形與葉相似纖細柔軟為異是其花也其根黒色
微褐状如鳥頭此物花不白茎不三稜也一説雉乃尾又虎乃尾葉似
前所云澗大深緑根相似而有褐毛葉背黄星点子是其花也一説
獅子頭又蜈蚣草又伊吹之保保祢又於依波女又也布蘇鉄此草似草蘇
鉄而小黄緑色搨地而生其根如前而稍細小一説宇良之呂多識編所

謂志多也葉似蕨柔薄面青背白四時不枯堅勁褐色根曲如龍有黑鬚須古所謂於尓和良比蓋是也

蕘花　波末尓礼　新抄本草 和名抄　俗名古賀年比又也末加只八又伊奴加賀年比此木也高一二尺枝條繁生葉互生似芫而稍大梢上作細穗開白花亦似芫而小結圓實生青熟則黑褐色其根細長皮柔韌可以造紙即陶注似芫花而細白色者是也蘇注苗似胡荽花細黃者今不可知時珍曰圖経絳州所出黃芫花恐是蕘花非也黃八芫花說在後芫花下藥性要畧大全蕘芫字疑恐即芫花也性味主治大略相同佐藤成裕曰蕘芫是一物字畧合作芫亦可備一說

牙子　宇末都奈岐　新抄本草○宇和名鈔 作古別有同名異物　延喜式常陸等五州貢之旧說為大根草然其根細小不似歟牙小野蘭山云下野日光及足尾駿

河冨士山信濃木曽山中有一種草其苗一根叢生莖高尺餘葉互
生似蛇苺又似湖雞腿而有毛茸分数枝開黄花亦似蛇苺而小其根
堅硬長二三寸末微曲似獸之牙鬚長七八寸嫩根色白老則黒此根牙也
此說可従俗呼大葉河原柴胡者春生苗一枝七葉排列葉似地榆
而細長背白有鋸齒秋開黄花其根如脂大長二三寸两頭尖
觧即救荒本草雞腿児一名翻白草也紹興本草所圖江寧府
牙子與之一也

羊躑躅　黄花躑躅也出丹波氷上郡山中大和芳野等高二三尺葉似山
躑躅而長大深緑又似石楠而薄短小有細白毛其花五出亦似山躑
躅但黄色為異一種葉薄而長大黄花者蜀本圖經所謂似桃
葉者也亦有微帯紅色者藥用並須通用其葉小而花深赤謂

以波都々之萬葉集 新抄本草和名抄是山躑躅與本條別也之呂都々之新抄本草勅號記是白花之称也毛知都々之新抄本草和名抄葉淺緑而有細毛枝疏而花繁淡紅桃花色午觸花蕚則黏著如黐故有此目也一枝八九蕚遠望之如蓮花者俗呼蓮花都々之蔕微紅者謂之赤蓮花延喜式伊勢近江出雲播磨紀伊貢躑躅花不題羊字者不拘一種也新抄本草和名鈔以波都々之呂都々之爲羊躑躅者當時採藥師赤引得黄花之物故強合山躑躅耳

商陸 以乎須岐新抄本草和名抄 山牛房彡識編 延喜式山城等十州貢之今近道處々有之春宿根生苗脆莖五六尺葉互生似烟草而光澤夏毎枝上作穗開花五瓣白色中有小實初青熟則紫黒其根白色酉開宝所謂白昌也根細者如牛蒡巨者如蘿蔔時有人形者

一種赤昌出雷斆説前輩皆云斯邦無之求索未到耳往年予陪玄盅子赴日光山而得之花未開時淡紅既開則深紅色後于住農夫家復見一本蘘注白者入藥然亦有毒並木孝龙者病腫自採白昌研之投味噌汁中攪而啜之三椀俄頃惡心吐瀉數十行四肢厥逆冷汗如珠予診其脉微細欲絶先與以附子理中二天貼陽気漸回四肢亦温初孝龙啜汁時母妻亦各啜二三口須臾吐瀉然以其啜之不多不至困頓其有毒未必赤者也主水脹綱目作水腫非也一名葛根爾雅蓫薚馬尾廣雅馬尾蔏陸按蓫薚商陸自是別物齊民要術引詩義疏云艺亂或謂之荻三月生云々有黄黒勃著之汙人手把取正白噉之甜脆一名蓫薚楊州謂之馬尾新抄本草商陸大觀亦同他籍中此二字多誤混盖有古本商作啇如新抄本草者啇音的正字通與

萩同淮南子蔐苗類如絮而不為絮易萑葦注藡也依此攷之遂
薚馬尾是萩也就其字誤妄附一名時珍不知云此物逐蕩水氣
可笑之甚也

羊蹄士日本紀和名抄〇士布士之畧以味澀故名之之乃袮新抄本草和名抄士乃波萬葉集之布乃袮和名
鈔俗名野大黃綱目附方引積德堂方有野大黃之目可謂和漢同袮下溼地極多深秋生苗凌冬
不枯其葉叢生長一尺餘似萵苣而厚折之有滑汁至春起薹高
二三尺作穗開花々葉一色結子三稜全類蕎麥夏至即枯其根
赤黃色畧如大黃成胡蘿蔔之狀產蝦夷者葉極肥大長可三尺廣
一尺餘夷人採其實煑熟食之呼為之由奈婆即萬葉集之乃波之
轉也又有一種草鄉言須之和名鈔須伊多字久佐多識編俗名須伊
婆又須加牟保田野極多葉極似羊蹄細而味酸花實及莖皆相似

但赤色為異即陶注酸模也

蒚蓄 宇之久佐 新抄本草 和名抄 多知末知久佐 新抄本草 勅號記 多識編 仁波也奈岐 勅號 俗名美知也奈伎又波々伎毛止伎處在有之道傍布地生葉似落帚葉而尖毎節互生節間生花甚細白色帯粉紅後結小細子即陶注所云而紹興本草所圖冀州種也又有生海濱者莖葉相似長大為異時珍引説文水萹筑々蕩是也大坂城中生者其葉細小是予所親見也越後蒲原郡三條生者葉極細小聞之於林文節

狼毒 也末久佐 新抄本草 多識編 仁波也奈岐 多識編 此草今無識者享保中商舶所輸者是藺茹也紹興本草所圖葉似大戟甘遂根如商陸者亦藺茹也多識編訓仁波也奈岐者取葉似蒚蓄之意則是亦藺茹也時珍所云今人往々以草藺茹為之誤者是也旧説多加良古宇亦

誤也嘗閱田村元雄琉球物產志其中所圖狼毒苗狀都似狼宕葉間抽小枝每枝開白花根似商陸色白微黄而多髭鬚應是真物

白頭翁 延喜式新抄本草医心方公翁作公於佐奈久佐 新抄本草 和名抄 大奈加久佐 同上○旧出新撰字鏡 即奈何草之字音 俗名智伊賀比計又加牟呂草又世賀伊草又加波良婆奈又豬熊柴胡近道山野極多宿根在土中至春發葉叢生葉似芎藭而細小又似防風葉不滑澤三四月之間葉心抽一莖々上分数枝每枝開垂紫色花形如鈴鐸中有紫絲黄蕋其花萎謝則紫絲漸長其色変白四邉分垂無毒縣頭正似白頭老公翁者一様即蘇注所云之草也但葉似芎藭而不大實不如雞子為異耳延喜式相摸安房等十州貢之今之加牟呂草也陶注近根處有白茸者邦產未聞傷寒論集註白頭翁與柴胡同類柴胡

根上有白茸者本草從新葉肆中多於柴胡內揀出之然必頭上有白毛者方真此柴胡指赭熊柴胡而言之丹溪曰無白頭翁則以柴胡代之柴胡豈有治利之力哉若遇其缺則用女委而可也女委上下利故太常以為白翁翁女委用苗不用根元雖異類駐利之力一也狂易證類本草作猲音羊政和本作猲字典音摘本草京始作陽狂非也

鬼臼　陶注錢唐者甘吳興者苦與本文辛不合可疑一也毒公方家多用鬼臼少用分明為二物千金方藥不宜湯酒條亦以毒公鬼臼為二可疑二也一名雀犀又解毒而有毒公之目可疑三也鄭言奴波乃美新抄本草和號記今不可知俗有止知奈者一名加佐久佐又都利賀弥草依花形而名也此草出信濃深山中一莖直上高三尺葉七八出分布莖

頭顛似蚤休而長大蘇注蚤休曰苗似王孫鬼臼花外青白内紫而有細金点状如鈴鐸又似貝母花在葉下常為葉所覆常不見日故有蓋天花之目一年生一莖既枯則為一臼至八九年則可以為薬即蘇注之草而紹興本草所圖舒州種也別有也久留末草又波字知和草産於日光筑波等亦一莖直上高三尺許莖端五葉攢生一處形如車輪其一葉本窄末濶而三尖頭如剪羽葉心更抽細莖作穗開小白花其根径一寸長六七寸絶不為臼今市上所賣者而蘇注江南一物非真者是也後世方書鬼臼宜用蘇説而六朝以前鬼臼為難定今失正字通獨脚蓮莖端葉似荷四周葉邊有細刺亦名八角天草與雀芋名同實異綱目釈名作海芋酉陽雜俎雀芋状如雀頭置乾地反湿湿地反乾飛鳥觸之墮走獸遇之僵似草烏之類而毒更甚物理小識附子條奚毒即雀芋非此種也雀芋之最大者海芋即觀音蓮依此則雀芋海芋一也時珍以為鬼臼其

根一年一臼非也據蓋天之名則今止知奈也獨脚蓮之名綱目引土宿本草明人亦称其名而未知爲鬼臼故時珍云尓正字通以爲非者只一年一臼之事而非鬼臼獨脚蓮爲別物之謂也旧説不知此義以細剌爲鋸齒強擬也久留末草者誤矣

羊桃 以良々久佐 新抄本草和名抄 此草今無復識者旧説纓絡桃否

女青 加波称久佐 新抄本草和名抄草木部 久曾加豆良 萬葉集○和名抄苕類引辨色立成細子草載 此名今爲二種非也 俗名倍久曾加豆良又久佐具佐 臭草之義 春生苗蔓延籬垣極易繁衍葉似蘿藦而薄兩々相對微有細毛莖葉並甚臭夏葉間開小紫花作筒子樣外淡内濃子如山椒大而初青熟黄褐但子不如棗爲異一説藾所云是加毛女豆留夫遂耶避悪者以其臭薫也加毛女豆留無臭豈爲其用故從来二種本文其藤生者也

別録混同名而為一時珍又襲之以本文為草生也甄權所云味苦者又別一種今並不可知也一名霍由衹新抄本草引釈薬性霍作茬諸家本草逸此名

連翹 以多知久佐新抄本草和名抄 以多知波勢同上又新撰字鏡 俗名弟切草傳言花山院時鷹人晴頼毎鷹遇傷採一草傳之秘不敢言其弟私泄之於人晴頼大怒斬之從是而後呼此草為弟切草云 近道岡原多有之其苗梗痩高一尺餘葉似柳而短小両々相對夏月莖端分細枝開數十花五瓣黄色後結房中有細小黒子即陶注用莖連花實者而藕注小翹也俗間治金瘡折傷無名腫物漬胡麻油經數日而傳之甚良古人言瘡薬聖薬莫不誣也一種大弟切草一名備也宇弟切草又久佐備也宇多生下湿地葉相似而長大莖方直立四五尺翹出叢花實亦相似即藕注大翹也延喜式伊賀等七州貢之蓋是也又

都佞奴佞帛切草其葉兩々相連莖出其正中花實與前所云一樣又
有姫帛切草花苗極細小令藥皆須通用也別有木本者三月開黄
花々罷則生葉似梅稍長而尖其實似椿實之未開者生青熟則
黄黒色中有子如雀舌樣而極小初白後褐色即南医所說殼小
堅而外無蹄蔓剖之則中鮮氣甚芬馥者而今市中所賣是也然
據古人之言則用莖連花實者為是其木本花四瓣正黄對生蕤
蕤最為可愛而古人無詩詠者何也盖此木在蜀中耳他郡人不知花
狀只医家得其實以供藥用蘇頌曰自蜀中來然未見莖葉時珍
編綱目有移易草木者如見此木本豈不移之於木部哉時珍亦未見
其木本也花之逸於詩詠者可推知也葛原詩話王阮亭詠白芨花
序曰嘗喜陳白沙詩恰到溪穴窮處山々枳殼花楊夢山詩常記任

家亭子上連翹花發共銜盃皆未経前人道及蓋詩人詠連翹只楊
夢山甫宗奭曰連翹不至翹出衆草下湿地亦無太山山谷間甚多今
止用其子折之片々相比如翹此說似云木本而其短為異救荒本草連
翹高三四尺然則唐山有一種短者也徐南圃史金絲桃亦一種木本
之連翹也俗謂之美容柳高僅二三尺似大旁切而花瓣稍短秋結實
亦如大旁切又有一種相似稍小者謂之金絲梅世只知其花而不知為
連翹之屬也新撰字鏡阿波久佐形似保々豆支安貝似西衆子此物今
不可知玄盅子曰一名軺當作軺傷寒論可徵軺翹同者仍旁切蓋
乙金之轉訛

䕡茹　称阿佐美 新撰本草 和名鈔 尔比萬久佐 同上 延喜式信濃美作貢之此
草今不可知今所有者享保中從唐山來商舶誤呼狼毒者也春初

宿根生苗嫩芽紅紫色可愛二三月圓莖高一尺餘葉似大戟甘遂葉
繁密互生折之有白汁莖端分五枝每枝開碎小四瓣黃紫花別抽小
莖結實似續隨子而小四五月枯根如商陸而黃赤破之有黃漿即陶
注漆頭蕳茹也近時伊豆相摸出一種草形状大都與前相似但莖紅
色爲異式所載蓋此草乎陶注草蕳茹旧說也布曽婆一名乃宇
留之又佐波宇留之其苗亦似大戟甘遂等而稍大根白色似蕳茹而
小近道下湿地有之鹿濱新田尾久等處々多々蓋紹興本草所圖冀
州澤漆也本藥原是大戟甘遂一類其力專利水道大腹水腫等
症數試累效

烏韭 知比佐岐古介 新抄本草 伊波乃比計 多識編 俗名以波古介諸深山
中有之生岩石之陰状似卷栢而細長淡青色此蘇注之苔也亭

閱苔類一百餘種韭狀者絶無之玄蟲子云別録下品載屋遊氣
味主治與之同但生山谷石上與屋上陰處之別已或恐是一物不可
就字釈義烏韭屋遊讀声相近

鹿藿 久須加都良乃波衣 新抄本草 此訓依陶注而作非正名也伊奴武
牟止宇 多識編 俗名乃末女 野豆之目出通雅和漢通称也 又都留末女又伎都
祢末女又也布末女近道山野往々有之其苗引蔓而生葉似扁
豆而小有毛茸夏開淡粉紫花後結小莢長七八分秋熟而紫
黒中有小黒子大如椒目

蚤休 之呂尓波曽 多識編○即白甘遂之義 俗名伎奴賀佐草又於保加佐
久留末出加賀白山越中立石信濃深山中一茎直上高一尺餘茎
頭分布八九葉作一層其一葉似天南星而長六七寸夏月葉

心別抽小莖開一花大一寸餘細瓣九出淡紫色又有白花者花中
結圓實周匝有黄蕋白鬚根長五六寸狀如蝦魁即紹興本草
所圖滁州種之一層者若其三層金絲蕋長寸著邦産甚少
大田澄玄曰生出羽湯殿山淨土口者作三層高三四尺土人謂之保年
天年草根入殺虫劑極效普救類方保年天年草一葉長四五寸本
狹末濶其葉四五枚環周於莖上作二三層或四五層物理小識蚤
休一莖直上七葉圍一層又抽為重樓開四出白花東壁謂葉如芍
藥不似也大約與鬼芋天南星一類但此物一層七葉而南星十一
葉今詳之邦産七葉一層者其花必七出與物理小識說及矣一名
蚩体新抄本草作蚩休綱目釈名引日華子
石長生　俗名箱根草又久呂波岐又以之々太生諸深山岩石下相

之箱根特擅其名春生苗莖高一尺餘黒光如漆葉如銀杏極細小全形似蕨経冬不凋夏月葉背着茶褐色細点即花也一種孔雀草一名奴利婆之此草至冬即枯一根数莖高五六尺黒光如漆葉似前稍大互生畧類孔雀尾人以為帚旧説石長生治頭瘡髮落者故俗呼加美波衣草　喝蘭本草此草開肝経閉塞止吐血療咳嗽喘逆利小便治婦人月水不通胞衣不可等證

陸英　曽久止久　新抄本草。同書蒴藋條引楊玄操上音蒴下音濁　和名抄注蒴藋云朔濁二音　可見曽久止久是蒴藋字音　曽久豆　勅號記。豆是止久之約声　仁波止久　同上　近道原野處々有之春生苗莖高五六尺葉似接骨木有細鋸齒如紫藤葉兩々相對夏梢上作傘狀開小白花其子初青熟則紅色多識編曽久豆乃

波奈此訓本于蘘頌說

藎草　加伊奈（新抄本草○和名抄伊作水）阿之為（同上○医心方云阿之乃阿為）刈安草（和名抄）伊奈久佐（勅號記）加伎伊奈（同上）此草今人呼刈安多出越前播磨近江等葉似竹葉極薄頗類芒葉其莖圓高四五尺上抽三穗似比女之婆而踈長染家從來用之染黃一種古布奈久佐近道處々陰湿地有之葉似竹而細短莖高尺許上抽穗開花似前而小亦可以染黃入藥二種通用無大異也藎染讀声近通用也王芻之王與黃同一名黃草出吳普和名鈔草木部藎草訓加木奈一阿之為染色具部引辨色立成黃草訓加伊奈又引本朝式云刈安草以為両條非也　漢書金璽盭綬晉灼注云盭草似艾可染綠說文莀草可以染留黃盭是一種染草狀亦與藎殊時珍以為一牽強甚矣

牛扁　太知末知久佐（新抄本草　和名鈔）　近道有一種草俗呼阿之多加風呂其
葉似風呂葉大而薄又似烏頭葉小而多花又其花亦似風呂而稍大根
如天雄而細長數條者是也旧説討年乃之也宇古非也是救荒本草鬪
牛兒之一種也一説伶人草葉似毛莨而肥大開淡黄花如烏頭根交纈似
秦艽而黄黒亦非也是紹興本草所圖齊州秦艽也蘇注根如秦艽
而細今伶人草似秦艽而大也玄盅子云孫案陶宏景一節可削是蘇
敬之説也星行誤

夏枯草　宇留比（新抄本草弗號記　口比和名抄作木）宇都保久佐（多識編按宇都保敦也　古名由岐見日本紀）
此穗似之故名　近道處々有之秋宿根生苗葉似薄荷有細鋸齒至
夏莖高六七寸上開紫白色穗長二三寸即紹興本草圖滁州種也太田
澄元曰夏枯草凡四五種入藥宇都保草為好一種十二一重苗高

四五寸葉似金瘡小草而微長兩々相對莖葉並有白毛莖端花穗二三寸其花淡紫白色五瓣作筒子樣至夏月枯而根上別生嫩葉是救荒本草所載之一種小者也一名乃東新抄本草作車注引楊玄操云音又遮又然則作東者非也邦人治淋病多用草味宇都保草世知其效或加蓋草山梔子亦好是唐山医籍之所不載也

芫花　加介比　医心方　俗名之許牟智又布智毛止伎又佐都未布智又丁子佐久良此小樹也高二三尺春時枝上開花繁密四瓣紫碧色狀如丁子花落盡後葉乃生其葉似白前及水蠟樹兩々相對有毛茸即吳普保昇等所說是也葉未生時須採花陰乾一種伎賀牟比亦小樹也葉似芫而薄無毛茸秋開花黃色似芫而細是蘇頌所謂絳州黃芫花医心方加介比是也近時以此為蕘者襲時珍之誤也又一種加牟

比樹高四五尺至八九尺葉互生似芫而濶大如蔓荊子夏莖梢簇数花似丁子而瓣黄白色是亦黄芫之一種也近時用之造紙俗云鳫皮宜云芫皮紙也

巴豆一名巴菽證類本草作椒非也此物市上賣者唯一種別無僞品宜擇新者 玄盅子云文政巳丑春曾士考始蒔栽為江戸有生本者昉乎此時

蜀椒 奈留波之加美 延喜式 和名抄 布佐波之加美 新抄本草 和名抄 延喜式攝津等三十五州貢之即今山椒也樹有雌雄之別雌者有實而無花雄者花而無實云云 木高五六尺七八尺皮上多疣瘩葉似槐而青緑每枝有針刺三月生嫩芽四月開細花五月結青實六七月熟則紅色其雌者與蘋頌所說一様只結實細小為異即陶注建平間之物而新抄本

草引雀鳥錫猪眼椒注云赤細者是也雄者山人剥取樹皮曝乾謂之辛皮日光山多出之青實俗呼阿斗山椒八閩通志花椒是也一種朝倉山椒其始出于但馬朝倉故名焉松岡成章曰西土稱上好山椒為蜀椒以蜀産辛刺故也今称朝倉者是也或疑本草蜀椒有刺朝倉無刺是拘泥而忘本也所以貴蜀椒者以辛辣異於他産也我之山椒無如朝倉産此即貴蜀椒之意刺之有無不論可也今種樹家呼為朝倉者其樹有刺葉密者十九或十七瓣疎者十三或十一瓣其不同如此此物似蘇頌所説而有花也又都下藥舗及百菜店称朝倉者非出于但州皆出自駿之府中其樹亦有刺無花也本経逢原葉十三瓣為蜀椒九瓣秦椒七瓣蔓椒拘泥殊甚

皂莢　加波良布知乃佐 新抄本草○和名抄無乃佐二字　佐以加知 勅號記○多識編以作比　佐比

加志編多識　蓋佗也阿加志之有呼也凡四五種曰猪牙曰肥曰長枝曰鬼
其猪牙者邦産無之今舶渡者長二三寸曲戾如猪牙而色黑即本
文所取而稱注為最下者不知何意也其肥者莢長三四寸狀如紫藤
莢而肥厚內有黑子三四顆大如無患子甚堅赤無邦産友人津田右
膳西遊長崎得莢之尤新者携歸植之生三四株子庭前所在者
是其也葉與尋常者一樣但濶大為異時珍所云葉如檀者是也
其長枝皆見本草蒙筌莢長尺餘濶寸許曲戾瘦薄如枝中者
數子狀如褐豆扁而光即陶蘇尺二時珍長而瘦薄枯燥不粘是也
此木處々多有之葉如槐夏月葉間下垂細穗着八瓣淡黃白細小
花々中抽黃小莢采木極高大者枝幹多刺即方書皂角刺也蘇頌
曰初生嫩葉為蔬茹益人邦人合燒味噌而食之云免瘡腫之患與

頌說少里〻其兒者郭言久〻佐俗名狐乃毗牟佐〻良又田祢牟 新抄
本草引新撰食經本草外 者蓋是也一種舶渡中有莢長六七寸圓
厚而直者蘋注多肉味濃時珍長而肥厚多脂而粘者是也延喜
式太宰府貢之蓋係舶來豬牙也和名鈔蔓草部皂莢此云蛇結誤
矣蛇結即雲實今亦呼蛇結以波良葉似槐而瘦莖有刺莢長二三
寸雖似自為別種玄盖子云南史齊明帝性儉朴嘗用皂莢訖
以餘 授左右曰此猶堪明目可以證本文風頭疾出別録明目之文

柳花 之多利也奈岐 新抄本草和名鈔大同類聚方 阿子也岐古今集 嘗疑陶注水楊柳
之水是小字說文柳小楊也字彙柳無條小楊也陶時俗間謂柳為楊
柳 鄭樵曰水楊曰楊柳又曰柳南人呼為楊柳 故曰今小楊柳蘋不知誤字以為非却非
矣今覆考不然其如桑水楊柳多而無柳少詩人隨風飛者水楊柳

絜也如蒦注分別揚柳精則精矣至採其絜為藥則陶注為優

蕿枸柳字為說其撰唐本草也別皇出水楊雖精無益於医

楝實　阿布智萬葉集勅撰字鏡和名抄阿宇知乃木勅號記阿天乃伎同上天疑夫之誤

雲見草藻塩草世牟多年多識編。松岡成章曰此木朽腐則骨節膠液凝結有香氣似奇南香故名

楝實阿布知乃美新抄本草此實有甘苦之別入藥苦者為隹花鏡

楝有二種青皮楝堅韌可為器其皮肉俱青色火楝性質輕脆肉

皆紅近道多有之高二三丈葉密如南天燭而粗鋸齒首夏梢上

開淡紫花攢簇如雲古人多歌詠之其子如阿乎伎實圓而微長又

有圓者纍纍滿枝下垂生青熟黃白味甘樹皮並赤是火楝也一

種產紀州者有花葉相似而樹皮淡青其實正圓如小鈴而味苦是青

皮楝也松岡成章曰苦楝上總海部郡有之土人呼為唐柟檀又曰藥

鋪称大和種者與此同鈴木良知曰產大和宇田郡松山街者實如彈丸味
苦已上三處者可以供藥用貝原好古曰此葉邦人以為虫及積霍乱之藥
西土之書不載其事本文温疾疑當作温疫

郁李仁　佐毛々乃佐祢勅號記　佐須毛々多識編　俗名仁波宇女此小樹也高
不過四五尺枝葉似李而細小開花五辨白色結實如櫻始青熟則紅紫
即紹興本草所圖隰州棣也又仁波佐久良開花千辨白色即蘇頌近
京人家園圃一種枝葉作長條花極繁密而多葉者而紹興本草所
圖郁李花千辨者是也又有紅花者萬葉集波称受色乃赤裳乃
姿是也波祢受以唐棣字訓之即郁李也新抄本草郁李訓宇倍和
名鈔郁子訓牟倍是涉近江所貢郁子而誤

莽草　之岐美延喜式和名抄○新抄本草下有乃木二字　之伎比乃波勅號紀　毛保已新撰字鏡

木部樒樒是字之異体 弥須美古呂之 多識編 奈倍和利 同上 延喜式大和美濃
備前貢之今出伊豆安房淡路播磨等東叡山中亦有之樹高二
丈許葉似冬青而浅緑色揉之畧有椒氣如宗奭説四月梢上開
花似千葉梔子花而細長七八瓣色白微黄實如八角茴香熟則破
裂見子大如豆潤滑而味甘相傳多食令人迷悶源君美曰和名鈔
木部別引唐韻載樒香木也注引漢語抄訓之伎美邦産無
有兩種樒即沈香之一種蔵器所謂蜜香邦産絶無樒字假
借與莽草兩種一名也通雅紅桂即莽草葉光厚而香烈花
紅色大小如杏花六出　漢溴人採以飼魚乃撈取之南人謂之石桂白
樂天有廬山桂詩唐人謂之紅桂以花紅也李德裕詩亭龍門
敬善寺有紅桂樹乃是蜀道莽草但毒魚而已蘋頌曰藤生

赤臆度正字通載上文及宗奭說別引拾遺記萎煌今所見萎草皆草也布地生苗非藤類此等邦産無之紹興本草所圖有蜀州福州之別則本文萎草疑非今之々伎美也

雷丸 太計保止 多識編 俗名也布太末小野蘭山云生竹林土中與茯苓一般蘘以為竹之苓舶渡多故邦人無採者為可惜矣出遠州金谷者塊大而色白質軟有挾竹根有阿波祖谷山者竹根之端作丸並如茯苓藥舗從前以大風子擬之呼其油為雷丸油誤甚大田澄元曰陸奥南部者尤良勝於遠江産按茯苓生蕨根者俗謂蕨茯苓此物或亦生蕨根故新撰字鏡云附著和良比根形如大豆又如李核諸家本草無此說斯邦古人之於藥物可謂總到盡心也玄盅子云名医條中旧有赤者殺人之語孫剴云非也本經逢

原皮黑肉白者良赤黑者殺人又八月採根根字恐衍此物有苗葉何更言根

桐葉 伎刋乃伎 新抄本草 新撰字鏡 和名鈔引陶注四種皆訓木理大和本草伐之速長故名焉邦産数種开大岐刋者其質白軟可以作屐故名此木先花後葉花白其心微紅似胡麻花而長大子似黄蜀葵小而扁長寸餘中有扁小数實葉大径尺餘両々相對即桐譜白花桐也之未岐刋者葉似前而枝堅花紫即陶注白桐而桐譜紫花桐也阿乎岐刋者即陶注梧桐而花鏡一名青桐暗合邦言禹貢孤桐是音之假借孔安国以為特生之桐非也桐譜良白子可噉陶亦云色白者蓋指老樹而言也松岡成章曰葉三尖者結子五七尖者不結唯雄之別以予觀之五尖無子者陶所謂青桐也阿

布良岐利者葉似白桐而小三尖或五七尖三四月梢上開淡紫花作簇後結實似續隨子大而三稜或四稜中子皆從其八稜三子或四子大如大風子至堅近江美濃若狹等州多出之収子采油復加蜜陀僧白礬等煉造者謂之桐油漆可以塗紙禦雨即蔵器罌子桐蘇頌南人之崗桐也 比岐利者一名止宇岐利素出薩摩葉圓大而長兩々相對高三四尺則有花似貝梧桐紅色如火而無實即蘇頌赬桐也稲若水曰京北貴船山中一種葉似桐而有極者恐是椰桐也鈴木良知曰信濃戸隠山亦有之古之阿布良乃木也

梓白皮　阿豆佐 古事記 日本紀 萬葉集 和名抄 即阿豆伎佐也之畧猶言小豆莢也俗名伎佐々岐直聳如桐枝莖有白毛葉亦如桐而三尖缺刻至淺變生有一尖二尖者嫩時紫黑色漸長變青夏月梢上作穗着花五

瓣淡黄白色形似胡麻花而二瓣覆下三瓣兼上上小下大周邊皆
襞儹內有紫斑点黄縱而道及細小三白蕊采　著上之二瓣而其頭向上
又卷黄色秋結莢細長下垂如著長尺餘內有絮熟則自裂而散
即齊民要術有角者為梓而絕與本草所圖梓葉三尖者是也此良
材也其色至白故管子謂之白梓故古人刻書謂繡梓鋟梓後人雖
用他木皆冒其名而謂之上梓也蘋須花紫者旧出蕭

燤

今不可知也楸比佐木（延喜式和名鈔引漢語抄）猶低佐也木古人詠歌寓久遠
之意者取比佐之義非正義也波末比佐木（萬葉集）佐以毛利加之波（日本紀通）
称又佐以毛利婆又加波良賀之波又阿加女賀之波嫩芽紅紫故有此名
此木處々有之高一丈餘葉三尖似梓小而鋸齒嫩芽甚赤漸長則青
與梓一樣夏每梢作穗攢簇黄白花後結實大可二分外有白毛

如草綿安賀又如白麴至秋熟則殼自破裂中有黑子正字通引埤雅
廣要楸、茎幹喬聳至秋條垂如線俗名楸線取栽移之十年後可為
棺槨車板又材宜碁枰謂之楸枰又通志梓與楸異生子不生角此皆
梓楸誤混時珍亦襲其說貝原好古梓為伎佐々岐楸為阿加安賀之
波稲若水反之二說既不同今詳之陶所謂梓三種當用胖素不腐
者即伎佐々岐也正字通尚書梓枚古本作杍此木生子異於群木
故字从子是亦伎佐々岐也故今從好古之說附後方治傷寒時
氣始得一日方生杍木削黑皮細切裏白一升今詳之生杍之皮絶
無黑者葛氏所用之杍是椅也陶之三種即其一也椅今俗呼伊々
岐利即椅之字音出大和阿波等山中近道處々亦栽之高一二丈
葉似梓而圓厚一尖春梢上作穗攢簇小白花秋結赤安賀累々

滿枝似南天燭而下垂中有細黑子也又有波利岐利一名以奴多良
又保宇多良又於保多良樹似桐極喬高大刺葉七尖或九尖而細
鋸齒即救荒本草刺楸也又有古年茲乃木松岡成章曰木極高大
葉五尖而薄色青黄而光潤生天台山詩集傳所謂山樞也

石南 和名鈔南作楠是蘇頌注楠曰似石南更高大是也止比良乃岐延喜式新撰字鏡和名鈔止高良藻塩草勅號記志麻新撰字鏡勢伎二合音志奈年二合音麻即石南木之隱名猶舉郷古之為荊芥也佐久奈無佐和名抄。源君美曰石南草之字音俗名志也久奈岐又
志也久奈計此二名皆字音之轉延喜式美濃丹波伊豫貢石南草今下
野之日光常陸之金砂多産之其他紀伊之高野大和之葛城等諸
州深山有之其樹高七八尺或三五尺葉似枇杷而小光而不皺背茶
褐色頗如石韋爲錫引蜀本云市人以尾韋爲石韋石韋爲石

南其比類可見也三四月間枝端着淡紅花似躑躅而成簇又有花
白葉背滑而無黄毛者正與蘇頌説符但邦産結實似躑躅實
稍大而有緑稜為異其實纔長則新葉漸生而旧葉脱落即陶
注如枇杷葉者也又有古志也久奈岐一名女志也久奈岐其花葉相似
而細小即蘓注葉細者也又俗呼止閉良乃岐者松岡成章以為丹
鉛録海桐也此樹處々有之本所深川殊多葉似毛都古久而反巻薄大
揉之有臭氣四月開小白花後結青實一簇四五顆熟則裁裂子中見赤
子亦如毛都古久高至一二丈枝葉茂密不透日氣古之所謂止比良乃木
即指言之貝原好古云除夜插枝於門扉避鬼而為名後世以狗骨枝
代之又一種有志天乃木者松岡成章曰北山岩屋中多生之葉似楊
梅而狹又似止比良而極繁密不結實其枝入土中久則化石状似石

岩而堅蘇頌所謂閩隴間者而應是眞石南也正字通曲阜古城顏回墓石柟二株大三四十圍顏子手植蘇頌曰石楠株有高大者花鏡蜀中一種最大者可數十圍槐王花木志石楠野生二月開花連著實如燕覆子八月熟紹興本草所圖道州種木本巨大而葉甚細小兩々相對一枝九葉或十三葉為乃木作槐葉狀者皆是別種也女子不可久服令思男南田男通声故作此主能猶合歡蠲忿必非神農之意也

黄環　布知加都良（新抄本草　和[illegible]記）旧説依蘇注以為紫藤今姑從之近野極多人家亦種之其藤著樹高數十丈大如指如臂三月生葉似無患子短小兩々相對其先有一葉每十三或十五枚為一乃木四月紫花穗垂二三尺可愛其子作角仁大如豆是為狼跋子夢溪補筆

談黄環即朱藤葉如槐花穗懸紫色園圃中作架種之謂之紫藤花實如皂莢是也又有白花者葉以而厚花穗稍短南方草木状紫藤花白子黒置酒中歴二三十年亦不腐敗是也呉普所説二月生苗高二尺根黄色作車輻解者正與陶注一物及蘇頌青琅玕曰黄環並今不可知且疑古之黄環是別物依蘇注去將水解之則似古之所謂野葛者狼跋子是紫藤子然今之紫藤子殺虫　否其根味甘而黄環味苦紫藤四月花而黄環與葛同時者為可疑或以姫久須為黄環此物紫藤生似葛極細小又有葉似而稍大且着子者其根無車輻解則與陶蘇不合矣古藤之根是為降眞香貴州通志降眞香出深箐中縣山巖上古藤所結歴久乃香泉州府志吉非藤即降真香八閩通志吉非藤亦名烏理紫藤紫色為

降真香可以證也此物番産為良故有番降之名據南方草木状其藤即今紫藤也嵇含曰紫藤葉細長莖如竹根極堅實重々有皮花白子黒置酒中歷三十年亦不腐敗其莖截置烟炱中經時成紫香可以降神是也斯邦無藤本巨大者故無結香之事人不知其根之為降真亦宜也夫番国甘草為桂茄或大樹若使此藤生彼国生熟並得其香凡香有生結熟結之別截莖置之烟炱中經時成者生結也久埋土中而清香者熟結也今之舶來是削去外皮取中心紫色者也玄扈子云本邦之医使用藤瘤蓋為降真之乏以是代之也

溲疏 宇都岐 新抄本草 和名抄 宇都呂木之畧 以奴久古繖 識 俗名和蘭久古又瓢薔草木蝦夷名止倍知又利太年祢樹高七八尺丈許皮

白中空葉似忍冬而淡緑色實似枸杞子而両々相對初青熟赤即蘓注所説也旧説宇乃花又木本忍冬今從岡成章之説

鼠李 須毛々乃岐新抄本草 佐毛乃岐勅號記多識編 俗名久呂宇女毛杼伎又宇之具以美又宇之古呂之樹高八九尺葉似李而狹長子似五味子而黒即紹興本草所圖蜀州種也生近道志村原唐本草胡椒條形如鼠李小又小蘗條子細黒圓如牛李子其状可知也又久呂宇女毛杼伎高四五尺枝條繁茂葉如指頭大本狹末尖而有細鋸歯葉間開五瓣小白花結實青緑亦似五味子熟則黒是別種也又美无良佐伎一名也末无良佐伎一名无良佐伎之伎美此本草拾遺紫珠也葉似李而狹長両々相對毎葉間夏月別抽花茎亦相對攢簇五瓣小紫花形似落雷相紅花而稍小後結細圓實

三四十顆大如椒目生時青熟則紫黑色至秋葉落子尚附枝如
穗松岡成章以爲宗奭所説鼠李今从其説　肯　大成治痘黑
陷牛李膏云一名鼠李子野生道邊至秋結實黑圓成穗依
此則非久台梅毛止佉也一名椑新抄本草作押注仁言烏甲反依尓
雅當作椑字

蘇實根　郭産絶無蘇𧂐注那約新抄本草作耶綻附后方耶跦樹
子耶約耶綻耶跦必有誤字

欒花　無久礼迩之乃木（和名抄引漢語抄○木欒子之字音）牟久礼之（新抄本草○亦字音之轉）布之
乃岐（和號記）牟久呂志（多識編）豆布（同上）俗名菩提樹高一二丈葉似
楝而極大多缺刻每十五或十三葉爲一朶其葉莖面紫赤
背淡青有二縱道及微毛餘如蘇𧂐所注也　郭人采實爲數

珠故有菩提樹之目今出東天台山中其他下野日光河内道明寺等出之

蔓椒　保曾岐（新抄本草新撰字鏡和名抄）以多知波之加美（新抄本草和名抄）椒之作藤蔓者邦産無之其保曾木蓋狗山椒也木高三四尺肥地者八九尺葉似山椒而梢長無辛味實作房攢生數百顆色青褐而氣臭與陶注小不香一名豬椒合矣

明治十五年四月十六日東京上野不忍池畔生池院ニ於テ
開催セル錦窠伊藤圭介先生八十齢賀寿耋筵ニ
席上ヘ曲直瀬愛氏（養安院曲直瀬正貞ノ男）ヨリ出陳セリ即チ
○錦窠翁耋筵誌巻之三、書籍之部第七頁第三十四ニ曰ク、
「（三四）本草古義　寫本壹冊　曲（直）瀬（直）愛（出品）
岡村尚謙ノ著ニシテ和漢ノ諸書ヲ引證シ古本草ノ奥義ニ
析リテ論述セシ書ナリ」トアリ即此本ナリ
此書ハ小森頼信氏ヨリ讓受ル[illegible]
曲直瀬愛氏ノ遺書也
昭和十四年十月日追記ス　伊藤篤太郎

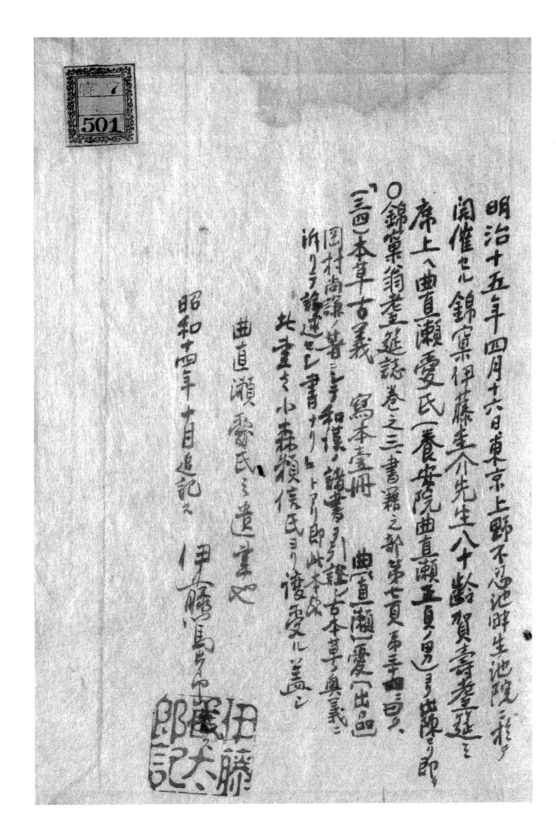